迷わず話せる
useful phrases
英会話
for your conversation
フレーズ集

船田秀佳 著

CD，カタカナ発音付

駿河台出版社

カバーデザイン・イラスト　大久保ナオ登

はしがき

　本書は日常会話から海外旅行に至るまで，よく用いられる表現を《基本表現》，《発信型表現》，《トピック別表現》の3つに焦点をあてて整理した，使える英会話表現集の決定版です．

　頭の中に英語が入っていなければ，話す，書くことはもちろん，聞く，読むことすらできません．つまり，英語をアウトプットする前に，インプットすることが先決だということです．

　ではどのようにしたら，効果的に英語をインプットできるのでしょうか．それには次の2つのステップを踏むことが必要です．

　まず第1は，よく使われる表現を《基本表現》，《発信型表現》，《トピック別表現》に分類して覚え込むことです．この方が，ただ漫然と英文を暗記しようとするよりも遥かに効率よく覚えることができます．

　また，いったん頭の中に入ったこれら3つの分類は，英語を読んだり，聞いたりする時に注視する働きをしてくれます．つまり，英語を掴む網の目のような役目をしてくれます．

　勉強法としては，使えそうな英文に出会った時は，これら3つの分類に注意しながら何度も音読筆写して，耳，目，口の筋肉が連動するようにしてください．特に口の筋肉を充分に動かすことが重要です．

　第2は，毎日多くの英文を読むことです．会話表現が豊富なペーパーバックはもちろん，英字新聞，雑誌，映画のシナリオなど，とにかくたくさん読むことです．3つの分類に属する英文には赤線を引きながら読み進んでください．そして，一定の分量をこなしたと感じたら，カードやフロッピーに赤線を引いた英文を分類ごとにファイルしていきます．ファイルした英文は時間を見つけては音読筆写を繰り返し，

実際の会話で使ってみましょう.

　この作業を3カ月続ければ「会話ができるようになればいいのだから,英語を読む必要はない」という考えが間違いであることに気づくでしょう.

　もちろん,英語を聞くことも必要です.テレビやラジオのニュースでも英会話の番組でも,毎日大量の英語を聞くようにしてください.ただ聞き流すのではなく,3つの分類を頭に置きながら聞けば,記憶に残る表現が増えていくことでしょう.

　また,英語を話し,書くという観点から言えば,自分に必要な表現は生の英語から採集して増やしていくことが必要です.つまり,自分用の会話辞典のようなものを作る意気込みで英語に接することが大切です.本書がその参考になれば幸いです.

　さらに進んで英語の効果的な学習法に興味を持たれる方は,私の『英語感覚の磨き方』(鷹書房弓プレス)を是非お読みください.

　また,英語はできて当たり前の時代に,英語を介して中国語を身につけたいと考えられる方は,私の『英語がわかれば中国語はできる』,『中学英語でペラペラ中国語』,『英語で覚える中国語基本単語1,000〜品詞別編〜』(以上,駿河台出版社)をお読み下さい.英語と中国語が同時に身につくユニークな学習書です.

　本書の出版には井田洋二代表取締役社長,編集部の山田仁さんに大変お世話になりました.ここに感謝の意を表したいと思います.

　　　　　　　　　　　　　　　　　　　　　　　　船田秀佳

≪本書の特徴≫

《基本表現》
英会話で最低限覚えなくてはいけないフレーズです．このセクションのフレーズさえ覚えれば，いざという時に役立ちます．

《発信型表現》
自己紹介にはじまり，自分の感情を伝えるなど，コミュニケーションのきっかけともなる効果的な意思伝達の表現です．あまり英語に慣れていない人でも覚えやすいように「型」を中心にまとめました．

《トピック別表現》
場面別に使える表現をまとめました．どのフレーズも前のセクションで勉強したものの応用です．また，英語独特の言い回しなども含んでいます．勉強して自信がついたらぜひ覚えておきたいフレーズばかりです．

＊本書のカタカナ表記について
本書では，学習者が使いやすいように各フレーズにカタカナをふっています．カタカナで音を正確に記すことはできませんが，学習の手助けにはなると思います．大いに役立てて下さい．

Contents
―もくじ―

Part 1 基本表現

- ▶あいさつ 11
- ▶聞き返し 29
- ▶相づち 37
- ▶感謝 45
- ▶謝罪 55
- ▶祝福 65

Part 2 発信型表現

- ▶自己紹介(1) 72
- ▶自己紹介(2) 86
- ▶自己紹介(3) 96
- ▶性格 106
- ▶相手を知る 114
- ▶感情(1) 喜怒哀楽 128
- ▶感情(2) 好き嫌い 136

Part 3   トピック別表現

- ▶天気 154
- ▶時間 160
- ▶機内 170
- ▶入国審査・税関 174
- ▶乗り物 178
- ▶ホテル 186
- ▶ショッピング 192
- ▶食事 198
- ▶道を尋ねる 204
- ▶銀行 210
- ▶電話 214
- ▶レンタカー 224
- ▶体調 228
- ▶トラブル 236

---◎付属 CD について---

本書付属の CD には，本文中の英文がページごとセクションごとに収録されています．お使いになる場合にはページ右上の🌐のマークに記された Track 番号で再生してください．

　録音：ジャン＝ピエール・クレティアン
　　　　　ジェニファー・トヨシマ

Part 1 基本表現

あいさつ

　あいさつの表現としては，Good morning [afternoon/evening], Nice to meet you. などはよく知られていますが，これ以外にもいろいろな表現があります．

　文字で見ればすぐに分かる簡単な単語でも，ナチュラルスピードで話されると，聞き取り不可能ということがよくあります．

　《あいさつ》などとばかにしないで，しっかりと頭に入れておきしましょう．《あいさつ》は会話の基本なのですから．

出会いのあいさつ

❶ How're you doing ?
ハウユー　　　　　ドゥーイン(グ)

元気？（調子はどう？）

☞ 英語の教科書では，次のような対話をよく見かけます．

A: How are you ?（元気ですか？）
ハウ　アー　ユー
B: I'm fine, thank you. And you ?（元気です．あなたは？）
アィム ファイン　　サンキュー　　　アンジュー

しかし，実際の会話ではあまり耳にしません．

出会った時のあいさつとしては，「元気？，調子はどう？」といった意味で，**How're you doing ?** が定番で，一日中使えます．
ハウユー　　ドゥーイン(グ)

これだけは覚えよう

How're you doing ? ハウユー　　ドゥーイン(グ)	元気？（調子はどう？）
How're things ? ハウアー　シングズ	元気？（調子はどう？）
How's it going ? ハウズ　イッ(ト)　ゴウイン(グ)	元気？（調子はどう？）
How's everything ? ハウズ　　エヴリシン(グ)	元気？（調子はどう？）
How goes it ? ハウ　ゴウズ イッ(ト)	元気？（調子はどう？）

語 句

how ［様子などをたずねる］どんなふうに，どんな具合に
things 状況，事情
everything すべてのこと・もの

ワンポイント

▶短縮形に注意しましょう. How're = How are, How's = How is です. How are, How is と覚えていると聞き取りが難しくなります.

▶答えとして次のような表現があります.

- **Pretty good.** 元気だよ.
- **Fine.** 元気だよ.
- **OK.** 元気だよ.
- **Not too bad.** 悪くはないよ.
- **So-so.** まあまあかな.
- **Couldn't be better.** 最高だよ.
- **Can't comlpain.** まあまあかな.

❷ Hello !
ヘロウ
こんにちは.

☞電話の時の「もしもし」という意味でこの表現はおなじみですが,あいさつの表現としては「こんにちは」という意味で一日中使うことができます.

これだけは覚えよう

Hello ! ヘロウ	こんにちは.
Hello ! How are you ? ヘロウ ハウ アー ユー	こんにちは, お元気ですか?
Good morning. / Morning. グッモーニン(グ) モーニン(グ)	おはようございます.
Good afternoon. グダフタヌーン	こんにちは.
Good evening. グッイヴニン(グ)	こんばんは.

ワンポイント

▶相手の名前を添える言い方も覚えましょう.

- **Hello, Mr. Sato.** こんにちは, 佐藤さん.
  ヘロウ ミスター サトー
- **Hi, Karen.** やあ, カレン.
  ハイ キャレン
- **Good morning, Jack.** おはよう, ジャック.
  グッモーニン(グ) ジャック
- **Good afternoon, Ms. Smith.** こんにちはスミスさん.
  グダフタヌーン ミズ スミス
- **Good evening, Mr. Carter.** こんばんはカーターさん.
  グッイヴニン(グ) ミスター カーター

▶**Good morning.**, **Good afternoon.**, **Good evening.** は別れのあいさつでも使います.
 グッモーニン(グ)   グダフタヌーン   グッイヴニン(グ)

▶**Good night.** は「おやすみなさい」という意味です.
 グッナイト

❸ How's your family ?
ハウズ　　　　ユア　　　　ファミリー
ご家族のみなさんはお元気ですか？

☞ この表現は英文の構造的には，**How are you ?** の **you** が **your family** に変わっただけですから，難しくはないと思います．

これだけは覚えよう

How's your family ?　　ご家族のみなさんはお元気ですか？
ハウズ　ユア　ファミリー

How are your folks ?　　ご家族のみなさんはお元気ですか？
ハウ　アー　ユア　フォウクス

How's everyone ?　　みなさんお変わりありませんか？
ハウズ　エヴリワン

How's your wife doing ? 奥さんはお元気ですか？
ハウズ　ユア　ワイフ　ドゥーイン(グ)

How are Taro and Hanako doing ?
ハウ　アー　タロー　アン(ド)　ハナコ　ドゥーイン(グ)
　　　　　　　　太郎君と花子さんは元気ですか？

── ワンポイント ──

▶答えには次のような表現があります．
  - **Fine, thanks.**　　元気ですよ，ありがとうございます．
    ファイン　サンクス
  - **Hanging in there.**　頑張っていますよ．
    ハンギンギン　ゼア

▶**folks** は one's folks（複数形）で使われ「家族」「身内」という意
  フォウクス　ワンズ　フォウクス
  味です．

語 句

folks＝family
everyone だれでも，みんな
hanging [hang の進行形] がんばる

5

❹ What's new ?
ワッツ　　　　ニュー
何か変わったことはありますか？

☞ 相手の近況を尋ねる時の表現です．慣れていないと，どういう意味なのか，また，どう答えればいいのか戸惑ってしまいます．とくに何もなければ **Nothing.** と答えるとよいでしょう．
ノッシン(グ)

これだけは覚えよう

What's new ?　ワッツ　ニュー	何か変わったことはありますか？
What's up ?　ワッツ　アッ(プ)	何か変わったことはありますか？
What's going on ?　ワッツ　ゴウイング　オン	何か変わったことはありますか？
What's going on with you ?　ワッツ　ゴウイング　オン　ウィ(ズ)　ユー	何か変わったことはありますか？
What's happening ?　ワッツ　ハプニン(グ)	何か変わったことはありますか？

────────── // ワンポイント // ──────────

▶ **What's** = **What is** です．短縮形は「ワッツ」と聞こえてきます．
　ワッツ　　　ワット　イズ

▶「特に変わりありません」と答えたい時には，次のような表現が使われます．

　－ **Nothing.**　　　　　特に変わりありません．
　　　ノッシン(グ)
　－ **Nothing much.**　　 特に変わりありません．
　　　ノッシン(グ)　マッチ
　－ **Nothing special.**　 特に変わりありません．
　　　ノッシン(グ)　スペシャル

❺ Long time no see.
ロン(グ)　タイム　ノウ　シー

お久しぶりですね．

☞ 久しぶりに会った時の表現です．わずか4語ですがよく使われる表現です．久しぶりに手紙を書く時に，**Long time no write.** で書き始める人もいます．
　　　　　　　　　　　　　　　　　　　　　ロング　タイム　ノウ　ライト

これだけは覚えよう

Long time no see.	お久しぶりですね．
It's been a long time.	お久しぶりですね．
It's been ages.	お久しぶりですね．
It's been a while.	お久しぶりですね．
*__It's good to see you again.__	またお会いできて嬉しいです．

———————— **ワンポイント** ————————

▶ **It's = It has**，または*印のように **It's = It is** の場合があります．どちらも「イッツ」と聞こえてきますので注意しましょう．

▶ **It's good to〜**は，**good** の代わりに **nice**，**great** も使えます．

▶ 「お久しぶりですね」という意味では次のような表現もあります．

　— **I haven't seen you for ages.**
　— **I haven't seen you for a long time.**

❻ Fancy meeting you here.
ファンシー　ミーティング　ユー　ヒア
ここで会うなんて奇遇ね.

☞ 偶然出会った時の表現です. **fancy** は動詞で「考える」「想像する」という意味です.「ここであなたに会うことを考えて／想像してごらんなさい」というのが文字通りの意味です.

これだけは覚えよう

Fancy meeting you here. ファンシー　ミーティング　ユー　ヒア	ここで会うなんて奇遇ね.
What brings you here ? ワッ(ト)　ブリングズ　ユー　ヒア	どうしてこんなところにいるの?
What a surprise to see you here. ワラ　サプライズ　トゥ　シー　ユー　ヒア	ここで会うなんて驚きね.
Look who's here. ルック　フーズ　ヒア	誰かと思ったら.
Aren't you Ms. Briggs ? アンチュー　ミズ　ブリッグス	ブリッグスさんじゃないですか.

―――――― **// ワンポイント //** ――――――

▶ **brings you** が「ブリングジュ」のように聞こえてくる場合もあります.
ブリングズ　ユー

　２語の単語として文字で記憶していると, まず聞き取れません.

▶ **who's** ＝ **who is** です. **whose** と聞き間違えないように注意しましょう.
フーズ　　　フー　イズ　　　　　　フーズ

▶ **aren't = are not**
アーント　　アー　ノット

18

❼ Nice to meet you.
ナイス　トゥ　ミーチュー

はじめまして.

☞ 紹介されて，人に始めて会った時のおなじみの表現です．nice の代わりに glad, pleased なども使われることを覚えておきましょう．
　　　　　　　グラッ(ド)　プリーズ(ド)

これだけは覚えよう

Nice to meet you. ナイス　トゥ　ミーチュー	はじめまして.
Glad to meet you. グラッ(ド)　トゥ　ミーチュー	はじめまして.
Pleased to meet you. プリーズ(ド)　トゥ　ミーチュー	はじめまして.
It's a pleasure to meet you. イッツァ　プレジャー　トゥ　ミーチュー	はじめまして.
How do you do ? ハウ　ドゥ　ユー　ドゥー	はじめまして.

—————— ∥ワンポイント∥ ——————

▶「はじめまして」「こちらこそ」と受け答えは次のようになります．

- **Nice to meet you (,too).**　はじめまして.
　ナイス　トゥ　ミーチュー　トゥー

- **Glad to meet you (,too).**　はじめまして.
　グラッ(ド)　トゥ　ミーチュー　トゥー

- **Pleased to meet you (,too)**　はじめまして.
　プリーズ(ド)　トゥ　ミーチュー　トゥー

- **The pleasure is mine.**　こちらこそ.
　ザ　プレジャー　イズ　マイン

- **How do you do ?**　はじめまして.
　ハウ　ドゥ　ユー　ドゥー

▶次のような表現もあります．
- **I'm happy to know you.**　はじめまして．
- **I'm happy to meet you.**　はじめまして．

▶人を紹介された時は，次のような表現も使われます．
- **I've heard a lot about you.**
　　　　　お噂はかねがねうかがっておりました．
- **I've heard so much about you.**
　　　　　お噂はかねがねうかがっておりました．

語 句

glad うれしい
pleased うれしい
pleasure 楽しみ，満足

9

別れのあいさつ

❶ So long.

ソウ　ロン(グ)

さようなら.

☞「さようなら」という意味の表現です．このように短い言い回しから覚えていくようにすれば，消化不良を起こさないで済みます．

これだけは覚えよう

So long. ソウ　ロン(グ)	さようなら.
Good-bye. グッバイ	さようなら.
Bye. バイ	さようなら.
See you. シー　ユー	さようなら.
See you later. シー　ユー　レイター	じゃあまたね.

ワンポイント

▶ **See you** (シー　ユー) の後に語句がくる表現には次のようなものがあります．

— **See you around.** (シー　ユー　アラウン(ド))　じゃまたね.
— **See you tomorrow.** (シー　ユー　トゥモロウ)　また明日ね.
— **See you on Monday.** (シー　ユー　オン　マンデイ)　また月曜日にね.
— **See you next week.** (シー　ユー　ネクスト　ウィーク)　また来週ね.
— **See you in May.** (シー　ユー　イン　メイ)　また5月にね.
— **See you in Tokyo.** (シー　ユー　イン　トウキョウ)　また東京でね.

▶「じゃあ元気でね」「さよなら」という意味では **Take care.** (テイケア) も使われます．

● ボキャブラリー Vocabulary ●

曜日と月の言い方を覚えましょう.

See you on〜, See you in〜で置き換えて練習しましょう.

—— 曜日 ——

🔊 10

Sunday サンデイ	日曜日	**Thursday** サーズデイ	木曜日
Monday マンデイ	月曜日	**Friday** フライデイ	金曜日
Tuesday テューズデイ	火曜日	**Saturday** サタデイ	土曜日
Wednesday ウェンズデイ	水曜日		

ex. See you on *Friday*.
　　シー　ユー　オン　フライデイ

—— 月 ——

January ジャニュアリ	1月	**July** ジュライ	7月
February フェブラリ	2月	**August** オーガスト	8月
March マーチ	3月	**September** セプテンバー	9月
April エイプリル	4月	**October** オクトーバー	10月
May メイ	5月	**November** ノーヴェンバー	11月
June ジューン	6月	**December** ディセンバー	12月

ex. See you in *October*
　　シー　ユー　イン　オクトーバー

❷ It's been nice talking with you.
イッツ　ビーン　ナイス　トーキング　ウィ(ズ)　ユー

お話しできて楽しかったです．

☞ ここでは **It's** = **It has** です．**It's been** は「イツベン」のように聞こえてくることもあります．ちゃんと聞き取れるようにしておきましょう．

これだけは覚えよう

It's been nice talking with you.
イッツ　ビーン　ナイス　トーキング　ウィ(ズ)　ユー

　　　　　　　　　　　　　お話しできて楽しかったです．

It's been a pleasure seeing you.
イッツ　ビーンナ　プレジャー　シーイング　ユー

　　　　　　　　　　　　　お会いできて楽しかったです．

Nice meeting you.
ナイス　ミーティング　ユー

　　　　　　　　　　　　　お会いできて楽しかったです．

I enjoyed your company.
アイ　エンジョイジュア　カンパニー

　　　　　　　　　　　　　ご一緒できて楽しかったです．

I'm looking forward to seeing you again.
アイム　ルッキング　フォーワード　トゥ　シーイング　ユー　アゲイン

　　　　　　　　　またお会いできるのを楽しみにしています．

―――――― ⧸⧸ ワンポイント ⧸⧸ ――――――

▶ **company** は「付き合い」「一緒にいること」という意味です．
　　カンパニー

▶ **I'm looking forward to**～の **to** の後には〈動詞-ing〉の形が来ます．
　アイム　ルッキング　フォワード　トゥ　　　　　トゥ

❸ Give my best regards to Jack.
ジャックによろしくね.

☞「～によろしく」という時の表現です. **regards** は「注目」「注視」という意味です. 複数形で使われることに注意しましょう.

これだけは覚えよう

Give my best regards to Jack.	ジャックによろしくね.
Give my love to Asuka.	明日香によろしくね.
Say hello to Nancy.	ナンシーによろしくね.
Let's keep in touch.	連絡をとりあいましょう.
I'll be seeing you.	またお会いしましょう.

ワンポイント

▶ **regards** の代わりに **wishes** が使われることもあります.
ex. **Give my best wishes to Jack.**

❹ Have a nice day.
ハヴァ　　ナイス　　デイ

よい一日を．

☞ この表現は人と会って別れる度に，一日に何度も使う言い回しです．このまま覚えて使いましょう．

これだけは覚えよう

Have a nice day. ハヴァ　ナイス　デイ	よい一日を．
Have a nice evening. ハヴァ　ナイス　イヴニン(グ)	よい晩を
Have a nice weekend. ハヴァ　ナイス　ウィークエン(ド)	よい週末を．
Have a nice vacation. ハヴァ　ナイス　ヴァケイション	よい休暇を．
Have a nice trip. ハヴァ　ナイス　トリップ	よい旅を．

―― **// ワンポイント //** ――

▶ Have a nice day [evening / weekend] と言われたら You, too.
　ハヴァ　ナイス　デイ　イヴニン(グ)　ウィークエン(ド)　　　　　　　　　　ユー　トゥー
（あなたもね）と答えましょう．

復習ドリル

◆[ ] 内の語をヒントにして次の日本文を英語に直しなさい．

1．お二人にお会いできてうれしいです．[glad, both]

2．ナンシーとジョンは元気ですか？ [doing]

3．スミスさんからお噂はうかがっております．[Mr., hear]

4．1週間後にお会いしましょう．[from]

5．楽しいクリスマスにしてね，ジュリエット [have]

● 解　答 ●

1. <u>Glad</u> to meet you <u>both</u>.

2. How are Nancy and John <u>doing</u>?

3. I'<u>ve heard</u> a lot about you from Mr. Smith.

4. See you a week <u>from</u> today.

5. <u>Have</u> a Merry Christmas, Juliet.

聞き返し

　ネイティブスピーカーの英語にスピードと内容の両方で圧倒されて，何を言っているのかチンプンカンプンにもかかわらず，分かったふりをして思わずうなずいてしまうことがあります．

　これではコミュニケーションは全く成り立ちません．理解できないときや聞き逃したときは，恥ずかしがらないで「おっしゃる意味が分かりません」「繰り返していただけますか？」と聞き返すことが大切です．

❶ Sorry ?
ソーリー

何とおっしゃいましたか？

☞ たった一語ですが,「もう一度言ってほしい」という意味を伝えることができます．語尾を挙げて発音しましょう．

これだけは覚えよう

Sorry ? ソーリー	何とおっしゃいましたか？
Pardon ? パードゥン	何とおっしゃいましたか？
Pardon me ? パードゥン ミー	何とおっしゃいましたか？
I beg your pardon ? アイ ベギュア パードン	何とおっしゃいましたか？
Come again ? カム アゲン	何とおっしゃいましたか？

ワンポイント

▶ **Pardon me ?** の pardon は動詞で「許す」,**I beg your pardon ?** の pardon は名詞で「許し」という意味です．

▶ **Excuse me ?** も同じ意味で使えます．

▶ **Pardon me ?**,**Excuse me ?** とも語尾をあげて発音しましょう．

❷ Could you say that again?
もう一度おっしゃっていただけますか？

☞ 丁寧に依頼する時の Could you〜? を使った言い方です．
Could の代わりに Would を用いても構いません．

これだけは覚えよう

Could you say that again?
　　　もう一度おっしゃっていただけますか？

Could you repeat what you've just said?
　　　おっしゃったことを繰り返していただけますか？

What did you say?
　　　何とおっしゃったのですか？

What do you mean?
　　　どういう意味ですか？

What are you getting at?
　　　何をおっしゃりたいのですか？

─── // ワンポイント // ───

▶ getting at の代わりに driving at も使えます．

❸ I don't see what you mean.
アイ　ドント　シー　ワッ(ト)　ユー　ミーン

おっしゃる意味が分かりません．

☞ 相手の言っている意味が理解できないということを伝える言い方です．他の表現とともに覚えておきましょう．

これだけは覚えよう

I don't see what you mean.
アイ　ドント　シー　ワッ(ト)　ユー　ミーン

　　　　　　　おっしゃる意味が分かりません．

I don't see what you are driving at.
アイ　ドント　シー　ワッ(ト)　ユー　アー　ドライヴィング　アット

　　　　　　　何をおっしゃりたいのか分かりません．

I don't follow you.
アイ　ドント　フォロウ　ユー

　　　　　　　おっしゃる意味が分かりません．

I'm not with you.
アイム　ノット　ウィズ　ユー

　　　　　　　おっしゃる意味が分かりません．

I didn't get your point.
アイ　ディドゥント　ゲッチュア　ポイント

　　　　　　　おっしゃりたいことが分かりませんでした．

ワンポイント

▶ **Sorry** の後に続けると，「すみません」と相手を立てている気持ちが伝わります．例を挙げると次のようになります．
ソーリー

Sorry, I don't see what you mean.
ソーリー　アイ　ドント　シー　ワッ(ト)　ユー　ミーン

　　　　　（すみません，おっしゃる意味が分かりません）

語句

be driving at …を意図する（目的語は常に what）
follow（しばしば不定文，疑問文で）理解する
get 理解する
point 要点

復習ドリル

◆ [　] 内の語をヒントにして次の日本文を英語に直しなさい．

1. お名前をもう一度言っていただけますか？　[repeat]

2. GATT とはどういう意味ですか？　[by]

3. 何をおっしゃりたいのか分かりません　[getting]

4. 私の言っていることが分かりますか？　[with]

5. おっしゃりたいことが分かりました．[point]

● 解　答 ●

1. Could you <u>repeat</u> your name ?

2. What do you mean <u>by</u> "GATT" ?
   ＊GATT＝ガット，関税と貿易に関する一般協定

3. I don't see what you are <u>getting</u> at.

4. Are you <u>with</u> me ?

5. I got your <u>point</u>.

相づち

　相手の話しを黙って聞いているだけでは，いくら首を振っても不快感を与える場合があります．「ちゃんと聞いています」とうメッセージを《ことば》で送ることが大切です．
　これには，相づちの表現を身に付ける必要があります．
　I see. や Yeah. 以外にもいろいろな言い回しを覚えましょう．

❶ That's for sure.
確かにそうです.

☞ 相手の言っていることに同意する時の表現を見てみましょう. 単語はやさしいのですが, 知らないと聞いても意味が分からない表現もあると思います.

これだけは覚えよう

That's for sure.	確かにそうです.
That's right.	その通りです.
You're right.	おっしゃる通りです.
You said it.	おっしゃる通りです.
You can say that again.	おっしゃる通りです.

ワンポイント

▶ 自分を主語にした次のような表現もあります.

— I think so.	そう思います.
— I know what you mean.	おっしゃることは分かります.
— I agree.	同感です.
— I quite agree with you.	全く同感です.
— I couldn't agree more.	全く同感です.
— I'm with you.	同感です.

▶ 次のような表現で同意を表すこともできます.

— That sounds good.	それはいいですね.
— How nice !	なんて素晴らしいんでしょう.

▶人の状態や行為に対して、自分も同じであることを表現する時、Me too., Me neither. はおなじみですが、So〜I., Neither〜I. の言い方も見てみましょう. どちらの場合も I に強勢を置いて言うようにしましょう.

1. **A: I'm dead tired.** 私はくたくたに疲れています.
   B: So am I. 私もです.

2. **A: Jack likes beer.** ジャックはビールが好きです.
   B: So do I. 私もです.

3. **A: I went to Canada this summer.**
   今年にの夏はカナダに行きました.

   B: Oh, did you ? So did I.
   そうですか？　私もです.

4. **A: She can speak Cantonese.**
   彼女は広東語が話せます.

   B: So can I. 私もです.

5. **A: John is not greedy for power.**
   ジョンは権力に貪欲ではありません.

   B: Neither am I. 私もです.

6. **A: I don't like beef.**
   私はビーフが好きではありません.

   B: Neither do I. 私もです.

7. **A: I've never been to New Zealand.**
   私はニュージーランドへ行ったことがありません.

   B: Neither have I. 私もです.

🔘 19

❷ You don't say.
ユー　ドント　セイ

まさか.

☞ 相手の言っていることが, にわかには信じられない時の表現です. **Really?**（本当ですか？）や **Unbelievable.**（信じられない）以外の
リアリー　　　　　　　　　　　　　　　　アンビリーヴァブル
言い回しも覚えましょう.

これだけは覚えよう

You don't say. ユー　ドント　セイ	まさか.
You can't be serious. ユー　キャント　ビー　シアリアス	本気じゃないでしょ.
Are you sure? アー　ユー　シュアー	確かですか？
No kidding. ノウ　キディン(グ)	冗談でしょう.
Is that right? イズ　ザッ(ト)　ライト	本当ですか？

── **ワンポイント** ──

▶「冗談でしょう」という意味で **kidding** を使った言い方には次のような表現があります.
キディン(グ)

You are kidding. / You must be kidding. / You've got to be kidding.
ユー　アー　キディン(グ)　　ユー　マス(ト)　ビー　キディン(グ)　　ユーヴ　ゴットゥ　ビー　キィディン(グ)

▶ **Is that right?** の代わりに次の表現も使われます.
イズ　ザッ(ト)　ライト

Is that so? そうですか？／**Is that a fact?** 本当ですか？／
イズ　ザット　ソウ　　　　　　　　　イズ　ザラ　ファクト

Is it true? 本当ですか？
イズイッ(ト)トゥルー

▶ 次の表現も覚えましょう.

－ **That's news to me.** それは初耳です.
　　ダッツ　　ニューズ　トゥ　ミー

❸ Far from it.
ファー　フロム　イット
ありえません.

☞ 相手の言っていることに反対する時の表現を見てみましょう.

これだけは覚えよう

Far from it.　ありえません.
ファー　フロム　イット

You are wrong.
ユー　アー　ロン(グ)
　　あなたは間違っています.

You've got it all wrong.
ユーヴ　ガティッ(ト)　オール　ロン(グ)
　　あなたは全く誤解しています.

You're completely mistaken about that.
ユーアー　コンプリートリー　ミスティクン　アバウト　ザット
　　あなたはそのことで全く考え違いをしています.

That's not true.
ザッツ　ノット　トゥルー
　　そんなことはありません.

―――― // ワンポイント // ――――

▶ 次の表現は p.38 で出てきた文の否定形ですが,これらも反対の意志を伝える表現として使えます.

- **You're not right.**　おっしゃることは正しくはありません.
  ユア　ノット　ライト
- **That's not right.**　そんなことはありません.
  ザッツ　ノット　ライト
- **I don't think so.**　そうは思いません.
  アイ　ドント　シンク　ソウ
- **I don't agree.**　賛成できません.
  アイ　ドント　アグリー
- **I'm not with you.**　賛成できません.
  アイム　ノット　ウィ(ズ)　ユー

復習ドリル

◆ [ ] 内の語をヒントにして日本文を英語に直しなさい．

1. A：ジョンは医者になりたがっています．
   B：ジャックもです．[so]

2. A：私はこの数学の問題が解けません．
   B：私もです．[neither]

3. 私の言っていることが分かりますか？ [mean]

4. あなたのおっしゃることは信じられません．[believe]

5. それはありえません．[can't]

● 解　答 ●

1. A: John wants to be a doctor.
   B: <u>So</u> does Jack.

2. A: I can't solve this math problem.
   B: <u>Neither</u> can I.

3. Do you understand what I <u>mean</u> ?

4. I don't <u>believe</u> you.

5. That <u>can't</u> be true.

感謝

　感謝の気持ちを述べる表現は多用し過ぎても損をすることはありません．

　例えば食事中に塩を取ってもらったら，Thank you., グラスに飲み物をついでもらったら，Thank you. という具合に連発しても大丈夫．逆に黙っていると礼儀知らずだと思われるでしょう．

❶ Thank you.
サンキュー

ありがとうございます.

☞ **I thank you.** の **I** が省略された形が **Thank you.** で, **thank** は
アイ　サンキュー　　　　　　　　　　　　　　　　　サンキュー　　　　　　　サンク
「感謝する」という意味です.

また, **you** を強く言うと「こちらこそありがとう」という意味を
ユー
伝えることができることも覚えておきましょう. 日本語につられて,
Excuse me. とは言わないように注意しましょう.
エクスキューズ ミー

これだけは覚えよう

Thank you. サンキュー	ありがとうございます.
Thank you very much. サンキュー　ヴェリー　マッチ	どうもありがとうございます.
Thank you so much. サンキュー　ソウ　マッチ	どうもありがとうございます.
Thank you anyway. サンキュー　エニウェイ	とにかくありがとう.
Thank you just the same. サンキュー　ジャスト　ザ　セイム	とにかくありがとう.

──────── //ワンポイント// ────────

▶ 一語の簡単な言い方は **Thanks.** です. **Thanks** の後に語句を添え
サンクス　　　　　　　　サンクス
た次のような表現もあります.

- **Thanks a lot.**　　どうもありがとう.
 サンクサ　ロット

- **Thanks a million.**　どうもありがとう.
 サンクサ　ミリオン

- **Thanks a bunch.**　どうもありがとう.
 サンクサ　バンチ

▶新聞の人生相談などの手紙の最後には，**Thank you in advance.**(どうかよろしくお願いします) が使われます.

▶感謝のことばに対して「どういたしまして」と言いたいときには次のような表現があります.

- **You're welcome.**
- **Not at all.**
- **No trouble at all.**
- **Don't mention it.**
- **No big deal.**
- **That's OK.**

❷ Thank you for your kindness.
サンキュー　フォー　ユア　カインドネス

親切にしていただいてありがとうございます．

☞ 具体的な内容を示す語句を Thank you for〜の後に添える言い方です．

これだけは覚えよう

Thank you for your kindness.
サンキュー　フォー　ユア　カインドネス
　　親切にしていただいてくれてありがとうございます．

Thank you for your concern.
サンキュー　フォー　ユア　コンサーン
　　気にかけていただいてありがとうございます．

Thank you for all you've done for me.
サンキュー　フォー　オール　ユーヴ　ダン　フォー　ミー
　　いろいろとありがとうございました．

Thank you for calling.
サンキュー　フォー　コーリン(グ)
　　お電話ありがとうございました．

Thank you for coming.
サンキュー　フォー　カミン(グ)
　　来てくれてありがとう．

ワンポイント

▶ 動詞を使う場合は，for の後では〈動詞-ing〉になることを覚えておきましょう．

▶ **Thanks for your kindness.** のように，thanks を使うこともできます．また代わりに **That's very kind of you.** も使われます．
サンクス　フォー　ユア　カインドネス　　　　　　　　　　　　　　ザッツ　ヴェリー　カインオヴ　ユー

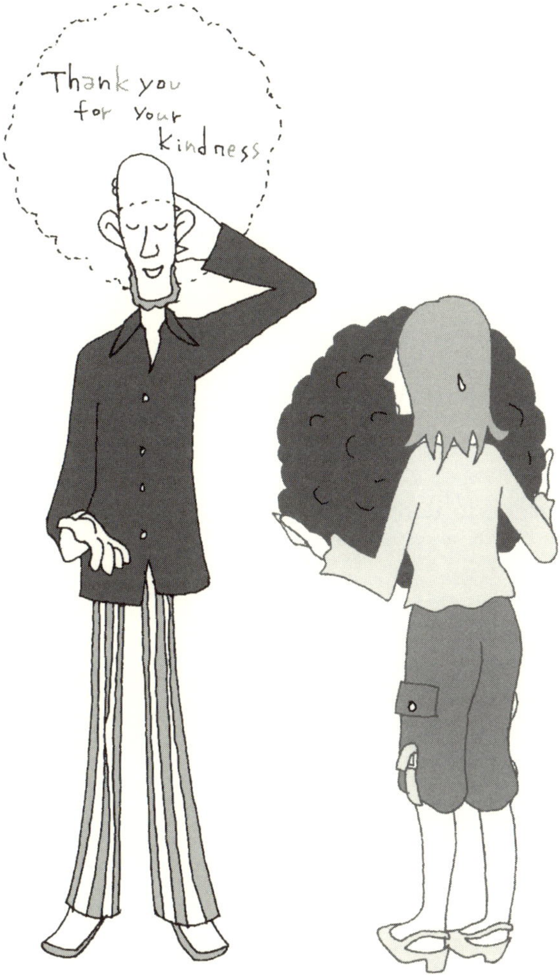
Thank you
for your
kindness

❸ I'd appreciate that.
そうしていただけるとありがたいのですが.

☞「感謝する, ありがたく思う」という意味の **appreciate** はやや難しい単語ですが, 会話ではよく使われますので, 是非使えるようにしましょう.

なお, I'd = I would です. would を用いた仮定法の文ですから丁寧な言い方になります.

これだけは覚えよう

I'd appreciate that.
そうしていただけるとありがたいのですが.

I'd appreciate it if you would help me.
手伝っていただけるとありがたいのですが.

I'd appreciate it if you would give me a ride.
車に乗せていただけるとありがたいのですが.

I'd appreciate it if you would agree to our plans.
私たちの計画に賛成していただけるとありがたいのですが.

I'd appreciate it if you would help me with my homework.
宿題を手伝っていただけるとありがたいのですが.

―――――――――――――*ワンポイント*―――――――――――――

▶would の代わりに could も使われます.
ウッド　　　　　　　　クッド

▶appreciate it の it を落とさないように注意しましょう.
　アプリシエイト　イット　　イット

▶appreciate は，すでにしてもらったことに対して感謝の気持ちを
　アプリシエイト
表すこともできます．例文を見ておきましょう.

― I appreciate your help.
　アイ　アプリシエイト　ユア　ヘルプ
　手伝っていただいててありがとうございます.

― I appreciate that.
　アイ　アプリシエイト　ザッ(ト)
　そうしていただいてありがとうございます.

語 句

give ～ a ride（車に）乗せる
agree 賛成する

51

復習ドリル

◆[ ]内の語をヒントにして日本文を英語に直しなさい．

1．とにかくありがとう．[all the same]

2．招待してくれてありがとう [invite]

3．ビールごちうそうさま．[beer]

4．誕生パーティーに来てくれてありがとう．[birthday party]

5．今夜お電話いただけるとありがたいのですが．[call,tonight]

● 解　答 ●

1. Thank you all the same.

2. Thank you for inviting me.

3. Thank you for the beer.

4. Thank you for coming to my birthday party.

5. I'd appreciate it if you would call me tonight.

謝罪

　英語では絶対に I'm sorry. と言ってはいけないと信じ込んでいたある日本人は，人の足を踏んだ時も，歩いていて人にぶつかった時も何も言わず「マナー知らずなやつ」というレッテルを貼られたそうです．

　このような日常生活での自分の非に対しては，謝るのは当然のことです．変な思い込みや誤解はよくありません．

❶ Sorry.
ソーリー

ごめんなさい.

☞ **I'm sorry** の **I'm** が省略されたインフォーマルな言い方です.
　アイム　ソーリー　　アイム

これだけは覚えよう

Sorry. ソーリー	ごめんなさい.
I'm sorry. アイム　ソーリー	ごめんなさい.
Excuse me. エクスキューズ　ミー	ごめんなさい.
Pardon me. パードゥン　ミー	ごめんなさい.
I beg your pardon. アイ　ベギュア　パードゥン	ごめんなさい.

―――――― **// ワンポイント //** ――――――

▶ **I'm really sorry.** は「本当にごめんなさい」という意味です.
　アイム　リアリー　ソーリー
really 以外には, **so**, **very**, **terribly**, **awfully** などを使って謝
リアリー　　　　　　　　ソウ　ヴェリー　テリブリー　オーフリー
意を強調します.

▶ **Excuse me. / Pardon me.** は道を尋ねるときなどに「すみません」
　エクスキューズ　ミー　　パードゥン　ミー
「ちょっといいですか」と人の注意を引いて, 話を切り出すときに
も使われます. 次の対話で見てみましょう.

A: **Excuse me. [Pardon me.]** （すみません）
　　エクスキューズ　ミー　　パードゥン　ミー
B: **Yes ? May I help you ?** （はい, 何か？）
　　イエス　メーアイ　ヘルプ　ユー

* **sir**, **ma'am**, **miss** などを付ける言い方にも慣れましょう.
　　サー　ミャム　　ミス

▶謝罪に対する答えとしては次のような表現があります．

- **Don't worry about it.** どうぞご心配なく．
- **Never mind. / Forget it.** 気にしなくていいですよ．
- **It's nothing.** 何でもありません．
- **It doesn't matter.** 構いませんよ．
- **No problem.** 何も問題はありませんよ．

❷ Sorry to have kept you waiting.
ソーリー トゥ ハヴ ケプチュー ウェイティング

お待たせしてすみません

☞ **Sorry** の後に〈**to**＋動詞〉を添える言い方を覚えましょう．

これだけは覚えよう

Sorry to have kept you waiting.
ソーリー トゥ ハヴ ケプチュー ウェイティング

　　お待たせしてすみません．

Sorry to trouble you.
ソーリー トゥ トラブル ユー

　　ご面倒をおかけします．

Sorry to interrupt you.
ソーリー トゥ インタラプト ユー

　　お話し中のところをすみませんが．

Sorry to disturb you.
ソーリー トゥ ディスターブ ユー

　　お邪魔してすみません．

Sorry to have caused you a lot of trouble.
ソーリー トゥ ハヴ コーズド ユー アロロヴ トラブル

　　多大なご迷惑をおかけいたしまして申し訳ございません．

ワンポイント

▶ **trouble you** の **trouble** は動詞，**a lot of trouble** の **trouble** は名詞です．意味はそれぞれ，「迷惑をかける」「迷惑」．

語句

interrupt 口を挟む
kept keep の過去分詞
cause(d) cause の過去分詞

❸ Sorry, I'm late.
遅れてすみません.

☞ 遅れて来たことをわびる表現ですが, このように sorry の後に完全な文がくる言い方にも慣れておきましょう.

これだけは覚えよう

Sorry, I'm late.
遅れてすみません.

Sorry, I didn't get you.
すみません, おっしゃる意味が分かりませんでした.

Sorry, I didn't tell you the truth.
本当のことを言わなくてごめんなさい.

Sorry, I can't make it tomorrow.
明日は行けなくてごめんね.

Sorry, I've got to go now.
すみません, そろそろおいとまします.

ワンポイント

▶ **make it** は熟語で「到達する」という意味です.

▶ **I've got to** はくだけた会話では **I gotta**（アイガラ）と発音されることがあります, 聞き取れるようにしておきましょう.

❹ I didn't mean that.
そういうつもりではありませんでした.

☞ mean は「…のつもりで言う」という意味です. 誤解をとく時の表現として覚えておきましょう.

これだけは覚えよう

I didn't mean that.	そういうつもりではありませんでした.
I apologize.	謝ります.
That's my fault.	私が悪いんです.
Please forgive me.	どうか許してください.
Don't take it personally.	悪気はなかったんです.

ワンポイント

▶ apologize の名詞形 apology を使った次のような言い方もあります.

- My apologies. （謝ります）
- Please accept my apologies. （どうか許してください）

That's my fault.

復習ドリル

◆ [ ] 内の語をヒントにして日本文を英語に直しなさい．

1. きのうは電話しなくてごめんね．[call]

2. 申し訳ありません．本日は営業致しておりません．[we, open]

3. 力になれなくてごめんね．[help]

4. 長時間お待たせしてすみません．[for a long time]

5. どうか許してください [our]

● 解　答 ●

1. Sorry, I <u>didn't call</u> you yesterday.

2. Sorry, <u>we</u>'re not <u>open</u> today.

3. Sorry, I can't <u>help</u> you.

4. Sorry to have kept you waiting <u>for a long time</u>.

5. Please accept <u>our</u> apologies.

祝福

　人に何かいいことがあった時には，喜びの気持ちを込めてお祝いのことばを自然に言えるようにしておきましょう．
　人に対する思いは，やがていつか自分に返ってくるという発想は英語文化にもあります．
　これは古今東西を問わないようです．

❶ Congratulations !
コングラチュレイションズ

おめでとう．

☞ 日本のテレビ番組では，英語のテロップが Congratulation となっているものをよく見かけますが，これは間違いです．s を落とさないようにしましょう．

これだけは覚えよう

Congratulations ! おめでとう．
コングラチュレイションズ

Congratulations on your graduation.
コングラチュレイションズ　オンニュア　グラジュエイション

　　　　　　　　　　卒業おめでとうございます．

Congratulations on your marriage.
コングラチュレイションズ　オンニュア　ミャリッジ

　　　　　　　　　　ご結婚おめでとうございます．

Congratulations on your promotion.
コングラチュレイションズ　オンニュア　プロモウション

　　　　　　　　　　昇進おめでとうございます．

Congratulations on getting into Yale University.
コングラチュレイションズ　オン　ゲティング　イントゥ　イェール　ユニヴァーシティ

　　　　　　　　　エール大学入学おめでとうございます．

ワンポイント

▶ **Congratulations** に **on** を添えて具体的な内容を述べることができます．

▶ 動詞を使う場合は **on** の後では〈動詞-ing〉になることを覚えておきましょう．

🔘 29

❷ Good work !
グッド　　ワーク
よくできましたね.

☞「よくできましたね」「頑張りましたね」と褒める時の表現です.

これだけは覚えよう

Good work ! グッド　ワーク	よくやりましたね.
Good job. ! グッ(ド) ジョッブ	よくやりましたね.
Good for you ! グッド　フォー　ユー	よくやりましたね.
Happy birthday ! ハッピー　バースディ	誕生日おめでとう.
Happy New Year ! ハッピー　ニュー　イヤー	新年あけましておめでとうございます.

――――― *// ワンポイント //* ―――――

▶ **Good work ! / Good job !** の代わりに **Well done !** も使えます.
　グッド　ワーク　　グッ(ド) ジョッブ　　　　　　　　ウェル　ダン

▶ **Good for you !** は次のように使います.
　グッド　フォー　ユー

A: **I've got a job with a TV station.**
　　アイヴ　ゴッタ ジョッブ ウィズ ア ティーヴィー ステイション
　（テレビ局に就職が決まったわ.）

B: **Good for you !** （よかったわね.）
　　グッド　フォー　ユー

67

復習ドリル

◆ [ ] 内の語をヒントにして日本文を英語に直しなさい．

1. シカゴ大学卒業おめでとうございます．[from]

2. 課長への昇進おめでとうございます．[to, section chief]

3. クリスマスおめでとう．[Christmas]

4. リサ，誕生日おめでとう．[Lisa]

5. チャーリーはよくやったよ．[good for]

● 解 答 ●

1. Congratulations on your graduation from Chicago University.

2. Congratulations on your promotion to section chief.

3. Merry Christmas !

4. Happy birthday, Lisa !

5. Good for Charlie !

Part 2　発信型表現

自己紹介 (1)

　自己紹介がうまくできるか否かで，相手に与える印象は大きく異なります．簡単な自己紹介の表現はあらかじめ暗記しておいた方がいいでしょう．

　また，大勢の前でスピーチをしたり，パーティーなどで多くの人に会う時には，仕込んでおいたジョークをいくつか披露するのも座を白けさせないためには効果的でしょう．

　私の場合はマジックが自己紹介代わりをしてくれます．

《基本文のパターン》

❶ I'm 〜.　　　　　　私は〜です．
　アイム

❷ I'm from 〜.　　　　私は〜出身です．
　アイム　フロム

❸ I was born 〜.　　　私は〜生まれです．
　アイ　ワズ　ボーン

❹ I live in 〜.　　　　私は〜に住んでいます．
　アイ　リブ　イン

❺ I have 〜.　　　　　私には〜がいます．
　アイ　ハブ

❻ My hobbies are 〜.
　マイ　ホビーズ　アー
　　　　　　　　　　　私の趣味は〜です．

🔊 30

❶ I'm ～.
アイム
私は～です.

☞ "～" の部分に名前，年齢，国籍をはじめとして，いろいろな語句を続けて多くの情報を伝えることができます.

1. **I'm** Hitomi Shiroki.　　⇨ *I'm* ＋ 名前
   アイム　ヒトミ　　シロキ
   私は白木瞳です.

2. **I'm** twenty-three years old.　⇨ *I'm* ＋ 年令
   アイム　トゥエンティー　スリー　イヤーズ　オウルド
   私は23歳です.

3. **I'm** Japanese.　⇨ *I'm* ＋ 国籍
   アイム　ジャパニーズ
   私は日本人です.

   ▶国籍を表す次の語で置き換え練習をしましょう.

   　　American　　（アメリカ人）
   　　アメリカン
   　　Australian　（オーストラリア人）
   　　オーストレエリアン
   　　British　　　（イギリス人）
   　　ブリティッシュ
   　　Canadian　　（カナダ人）
   　　カネィディアン
   　　Chinese　　 （中国人）
   　　チャイニーズ
   　　French　　　（フランス人）
   　　フレンチ
   　　German　　　（ドイツ人）
   　　ジャーマン
   　　Italian　　　（イタリア人）
   　　イタリアン
   　　Korean　　　（韓国人）
   　　コリーアン
   　　Spanish　　　（スペイン人）
   　　スパニッシュ

4. **I'm** 180 centimeters tall.　　⇨ *I'm*＋身長
　　アイム　　アハンドレッドエイティ　センティミーターズ　トール

　　私の身長は180センチです．

　　▶センチメートルで表された身長を英米の長さの単位（フィート, インチ）に換算するには, 1 foot = 12 inches = 30.48 cm（1 inch = 2.54 cm）を使って計算します．180 cmなら，約5feet 9 inchesになります．

5. **I'm** married.　　⇨ *I'm*＋身分
　　アイム　ミャリード

　　私は結婚しています．

　　▶独身なら "I'm not married." と否定文にするか，"I'm single." と言えばいいでしょう．

覚えておきたい表現

I'll be twenty-five next month.
アイル　ビー　トゥエンティー　ファイヴ　ネクスト　マンス

来月25歳になります．

I weigh 70　kilograms.
アイ　ウェイ　セブンティー　キログラムズ

体重は70キロです．

☆キログラムで表された体重をポンド（pound [pənd]〈パウンド〉）に直すには，1 poundが約454グラムで換算します．1キロは約2.2 poundsですから70キロは約154 poundsになります．

🔊 31

❷ I'm from ～
アイム　フロム
私は～の出身です．

☞ 出身を表す時のおなじみの言い方です．

1. **I'm from** Japan.　　⇨ *I'm from* ＋ 国・地域名
   アイム　フロム　ジャパン
   私は日本から来ました．

2. **I'm from** Tokyo.
   アイム　フロム　トウキョウ
   私は東京の出身です．

3. **I'm from** Kyoto.
   アイム　フロム　キョウト
   私は京都の出身です．

4. **I'm from** Hokkaido, Japan.
   アイム　フロム　ホッカイド　ジャパン
   私は日本の北海道から来ました．

   ▶海外で「北海道」と言っても日本の地理を知らない人には通じないでしょう．その時は，次のような説明を加えるしかありません．説明を避けるなら，I'm from Japan. で充分です．

   ‐Japan consists of five big islands. Hokkaido is one of them. It's in the north.
   （日本は5つの大きな島から成り立っています．　北海道はその1つで，北にあります．）

5. **I'm from** a large family.
   アイム　フロマ　ラージ　ファミリー
   うちは大家族です．

75

❸ I was born〜.
アイ　ワズ　ボーン

私は〜に［で］生まれました．

☞ 生まれた場所や，月日を表す時の言い方です．

1. **I was born** in 1989.　　⇨ *I was born in* ＋ 年号
   アイ　ワズ　ボーン　イン　ナインティーンエイティナイン

   私は1989年生まれです．

   ▶英語で西暦を言うときは，上2桁，下2桁で区切って読みます．

   1990→　19　＋　90
   　　　ナインティーン　ナインティー

   2005年の場合は，twenty-five とは言わず twenty-oh-five, two thousand (and) five と言います．oh はゼロを表す言い方です．

2. **I was born** on December 13, 1988.
   アイ　ワズ　ボーン　オン　ディセンバー　サーティーン　ナインティーンエイティーエイト

   ⇨ *I was born on* ＋ 日付

   私は1988年12月13日生まれです．

   ▶日付は序数を使って言います．序数は基本的に語尾に -th をつけるだけです．1〜3は例外です．

1	first ファースト
2	second セカンド
3	third サード
4	fourth フォース
⋮	

3. **I was born** in the fifty-seventh year of Showa.
   アイ　ワズ　ボーン　イン　ザ　フィフティー　セブンス　イヤー　オヴ　ショウワ

   私は昭和57年生まれです．

4. **I was born** in the second year of Heisei.
   _{アイ ワズ ボーン イン ザ セカンド イヤー オヴ ヘイセイ}

   私は平成2年生まれです.

   ▶日本の年号は世界共通ではありませんので, 西暦で言う方がよいでしょう.

5. **I was born** in Hanamaki in Iwate Prefecture.
   _{アイ ワズ ボーン イン ハナマキ イン イワテ プリフェクチャー}

   ⇨ *I was born in* ＋ 地名

   私は岩手県の花巻で生まれました.

❹ I live in～.
アイ　リヴ　イン
私は～に住んでいます．

☞ 住所や住まいの種類を表す時の言い方です．

1. **I live in** Yokohama.　　⇨ *I live in* ＋ 地名／場所
   アイ リヴ イン　ヨコハマ
   私は横浜に住んでいます．

2. **I live in** Nakamura Ward, Nagoya.
   アイ リヴ イン　ナカムラ　ウォード　ナゴヤ
   私は名古屋の中村区に住んでいます．

3. **I live in** the suburbs of Tokyo.
   アイ リヴ イン ザ　サバーズ オヴ トウキョウ
   私は東京の郊外に住んでいます．

4. **I live in** an apartment.
   アイ リヴ インナン　アパートメント
   私はアパート暮らしです．

5. **I live in** a house.
   アイ リヴ インナ　ハウス
   私は一戸建ての家に住んでいます．

> **覚えておきたい表現**
>
> ①次のような言い方も覚えましょう．
>
> **I live in a two-story house.**
> アイ リヴ インナ トゥー ストーリー ハウス
>
> 私は2階建ての家に住んでいます．
>
> ②日本語ではアパートとマンションは別物のイメージがあります
> が，英語の **apartment** は，部屋数が多く高級で，日本語のマ
> アパートメント
> ンションの意味を伝えることができます．
>
> 日本語のマンションは，**apartment** 以外に，**condominium /**
> アパートメント コンドミニアム
> **condo**（分譲マンション），**studio**（ワンルームマンション）
> コンドウ ストゥディオ
> で表すことができます．
>
> 一方，英語の **mansion** は，映画俳優が住むような大邸宅を意
> マンション
> 味しますから，うっかり **I live in a mansion.** と言わないよ
> アイ リヴ インナ マンション
> うにしましょう．

79

❺ I have～.
アイ　ハヴ
私には～がいます．

☞ 兄弟姉妹が「いる」「いない」という言い方を見てみましょう．

1. **I have** three brothers.　　⇨ *I have* ＋ 兄弟姉妹
   アイ　ハヴ　　スリー　　ブラザーズ
   私は4人兄弟です．

2. **I have** three sisters.
   アイ　ハヴ　　スリー　　シスターズ
   私は4人兄弟（姉妹）です．

3. **I have** no brothers and sisters.
   アイ　ハヴ　ノウ　ブラザーズ　アン(ド)　シスターズ
   私には兄弟はいません．

4. **I have** two brothers and a sister.
   アイ　ハヴ　トゥー　ブラザーズ　アン(ド)　ア　シスター
   私は4人兄弟です．

   ▶英語には日本語の"兄"，"弟"，"姉"，"妹"にあたる1語がありません．"兄"，"弟"には，**brother**，"姉"，"妹"には **sister** を用います．特に区別する必要がある場合は，次のように **older**，**younger** などの語を合わせて使います．
   オウルダー　ヤンガー

   Taro is my older brother.
   タロー　イズ　マイ　オウルダー　ブラザー
   太郎は私の兄です．

   I have two younger sisters.
   アイ　ハヴ　トゥー　ヤンガー　シスター
   私には妹が2人います．

覚えておきたい表現

①長兄・長女を言うときは the oldest (eldest) 〜を使います.
アメリカ英語では the oldest をよく用います.

I'm the oldest daughter.
アイム ジ オウルデスト ドーター

私は長女です.

②親族名称は次の通りです.

great-grandfather	(曾祖父)	older / elder sister	(姉)
great-grandmother	(曾祖母)	younger sister	(妹)
grandfather	(祖父)	sister-in-law	(義姉妹)
grandmother	(祖母)	husband	(夫)
father	(父)	wife	(妻)
mother	(母)	son	(息子)
father-in-law	(義理の父)	daughter	(娘)
mother-in-law	(義理の母)	child	(子供)
uncle	(伯父)	cousin	(いとこ)
aunt	(伯母)	nephew	(甥)
older / elder brother	(兄)	niece	(姪)
younger brother	(弟)	grandson	(孫息子)
brother-in-law	(義兄弟)	granddaughter	(孫娘)
		great-grandchild	(ひ孫)

❻ My hobbies are～.

私の趣味は～です．

☞ 英語の **hobby** は，ある程度のお金をかけ，長期的に行うものというニュアンスがありますから，日本語式に **My hobby is reading.**（趣味は読書です）とは言わないように注意しましょう．

1. **My hobbies are** traveling and listening to music.

   ⇨ *My hobbies are* ＋ 趣味

   私の趣味は旅行と音楽鑑賞です．

2. **My hobbies are** collecting stamps and gardening.

   私の趣味は切手収集とガーデニングです．

3. **My hobbies are** horseback-riding and playing the piano.

   私の趣味は乗馬とピアノです．

4. **My hobbies are** bird-watching and playing chess.

   私の趣味はバードウオッチングとチェスです．

5. **My hobbies are** painting in oils and taking photos.

   私の趣味は油絵と写真です．

> **覚えておきたい表現**
>
> いくつもの趣味がある人は one of my hobbies という表現をぜひ覚えましょう.
>
> **One of my hobbies is collecting old coins.**
> ワン オヴ マイ ホビーズ イズ コレクティング オウルド コインズ
> 私の趣味のひとつは古いコインを集めることです.

🎧 36

チャレンジドリル

◆CD を聞き,下線部に適語を補充しなさい.

1. あなたの身長はどれくらいですか？
   What's your _____ ?

2. 私はアパートを借りています.
   I'm _____ an apartment.

3. 私は寮に住んでいます.
   I live in a _____ .

4. 私はひとりっ子です.
   I'm an _____ _____ .

5. あなたの趣味は何ですか？
   Do you _____ _____ hobbies ?

● 解　答 ●

1. height　2. renting　3. dormitory.　4. only child.　5. have any

ダイアローグ

次は自己紹介の会話です．聞いてどれだけ理解できるかチャレンジしてみましょう．

A: Can I share this table with you?

B: Sure. No problem.

A: I'm Jessie. Nice to meet you.

B: I'm Taro. Nice to meet you,too.

A: Where are you from, Taro?

B: I'm from Japan. Well, let me introduce myself.
I'm 19 years old. I was born and raised in Tokyo. I have my parents and two sisters back in Tokyo. Three months ago, I came to Canada to study English. I live in Vancouver. My hobbies are listening to classical music and swimming. Tell me something about yourself, Jessie.

A: I'm from Toronto. I'm 18 years old. I'm studying music and physical education. I'm sharing an apartment with my roommate downtown. I enjoy making waffles in my free time.

B: Can I have lunch with you and talk about music tomorrow?

A: All right. Let's meet right here.

日　本　語　訳

A：このテーブル相席してもいいですか？

B：もちろんです．どうぞ．

A：ジェシーと言います．初めまして．

B：太郎です．こちらこそ．

A：太郎さん，お国はどちらですか？

B：日本です．じゃ，自己紹介します．僕は19歳です．生まれも育ちも東京です．東京には両親と妹が2人います．3カ月前に英語を勉強するためにカナダに来ました．バンクーバーに住んでいます．趣味はクラシック音楽を聞くことと水泳です．ジェシーさん，あなたのことを少し教えてください．

A：出身はトロントです．18歳です．音楽と体育を勉強しています．ルームメイトとダウンタウンでアパートを借りています．暇な時にはワッフル作りを楽しんでいます．

B：明日，昼食を一緒して音楽について話せますか？

A：いいですよ．ここで会いましょう．

自己紹介 (2)

　学生が自己紹介する場合の基本的な表現を見ていきましょう．英語を専攻しているか否かに関係なく，自己紹介くらいは英語でできるようにしておきたいものです．まずは，やさしい言い回しから覚えていくようにしましょう．

《基本文のパターン》

❶ **I go to～.**　　　私は～に通っています．
アイ ゴウ トゥ

❷ **I'm～.**　　　私は～です．
アイム

❸ **I'm majoring in～.**
アイム メイジャリング イン
　　　　私は～を専攻しています．

❹ **I work part-time～.**
アイ ワーク パートタイム
　　　私は～で［の］アルバイトをしています．

❶ I go to ～.
私は～に通っています．

☞ 学校を表すことばや個別の学校名を添えて身分を表す言い方です．

1. **I go to** college. ⇨ *I go to* ＋ 学校
   私は大学生です．

   ▶ "I'm a college student." よりも自然な言い方です．

2. **I go to** Chicago University.
   私はシカゴ大学の学生です．

3. **I go to** senior high school.
   私は高校生です．

4. **I go to** junior high school.
   私は中学生です．

5. **I go to** an English converstion school.
   私は英会話学校に通っています．

覚えておきたい表現

attend を使って学校に通うという意味を表すことができます．

I've been attending Brown University since September. 私は9月からブラウン大学に通っています．

❷ I'm～.
アイム
私は～です．

☞ 学年を表す言い方を覚えましょう．

1. **I'm a freshman.**　⇨ *I'm* ＋ 学年
   アイマ　　フレッシュマン
   私は１年生です．

   ▶ 具体的な学校名は次のように文末に添えます．

   I'm a freshman at Michigan University.
   アイマ　　フレッシュマン　アット　ミシガン　　ユニヴァーシティ
   私はミシガン大学の１年生です．

2. **I'm a sophomore**
   アイマ　　ソフォモア
   私は２年生です．

3. **I'm a junior.**
   アイマ　　ジュニア
   私は３年生です．

4. **I'm a senior.**
   アイマ　　シニア
   私は４年生です．

5. **I'm a graduate student.**
   アイマ　　グラジュエット　スチューデント
   私は大学院生です．

   ┌─ 覚えておきたい表現 ─┐
   「あなたは何年生ですか？」は，次のようになります．
   また小中学生には **year** ではなく **grade** を用います．
   　　　　　　　　　　イヤー　　　　　　　グレイド
   What year are you in ?
   　ワット　イヤー　ア　ユー　イン

❸ I'm majoring in～.
アイム　　　メイジャリング　　　イン
私は～を専攻しています.

☞ 専攻を表す時の言い方です. "～"には具体的な専攻名がきます. in を落とさないように注意しましょう.

1. **I'm majoring in** anthropology.　⇨ *I'm majoring in* ＋専攻
   アイム　メイジャリング　イン　アンソロポロジー
   私は人類学を専攻しています.

   ▶ **major in** の代わりに次のように **specialize in** や **study** が使
   　　メイジャー　イン　　　　　　　　　スペシャライズ　イン　　　スタディ
   われることもあります.

   　　I'm specializing in math. （私は数学を専攻しています.）
   　　アイム　スペシャライジング　イン　マス
   　　I'm studying math. （私は数学を専攻しています.）
   　　アイム　スタディング　マス

   ▶ 具体的な学校名は文末に添えます.

   　　I'm majoring in biology at Manchester University.
   　　アイム　メイジャリング　イン　バイオロジー　アット　マンチェスター　ユニヴァーシティ
   　　（私はマンチェスター大学で生物学を専攻しています.）

   ▶ 名詞を使って **I'm an English major. / My major is English.**（私の専攻は英語です）と言うこともできます.
   　　アイマン　イングリッシュ　メイジャ　　　　　　マイ　メイジャ　イズ　イングリッシュ

2. **I'm majoring in** biology.
   アイム　メイジャリング　イン　バイオロジー
   私は生物学を専攻しています.

3. **I'm majoring in** math.
   アイム　メイジャリング　イン　マス
   私は数学を専攻しています.

4. **I'm majoring in** pharmacology.
   アイム　メイジャリング　イン　ファーマコロジー
   私は薬学を専攻しています.

5. **I'm majoring in** linguistics.
   アイム　メイジャリング　イン　リングイスティックス

   私は言語学を専攻しています．

   ▶次の学科，専攻名で置き換え練習をしましょう．

agriculture アグリカルチャー	（農学）
American Studies アメリカン　スタディーズ	（アメリカ研究）
Asian Studies エイジャン　スタディーズ	（アジア研究）
business administration ビジネス　アドミニストレーション	（経営学）
chemistry ケミストリー	（化学）
computer science コンピューター　サイエンス	（コンピューター科学）
economics エコノミックス	（経済学）
education エジュケイション	（教育学）
engineering エンジニアリン(グ)	（工学）
geology ジオロジー	（地理学）
gynecology ガイナコロジー	（婦人科学）
history ヒストリー	（歴史学）
home economics ホウム　エコノミクス	（家政学）
international relations インターナショナル　リレイションズ	（国際関係論）
library science ライブラリー　サイエンス	（図書館学）
marine biology マリーン　バイオロジー	（海洋生物学）
political science ポリティカル　サイエンス	（政治学）
psychology サイコロジー	（心理学）
speech communication スピーチ　コミュニケーション	（スピーチコミュニケーション）
sociology ソシオロジー	（社会学）

❹ I work part-time〜.

私は〜で（の）アルバイトをしています

☞「アルバイト」はドイツ語から入ったことばですから，"arubaito" と言っても通じません．動詞は **do** ではなく **work** を使います．

1. **I work part-time** at a 100 yen shop.

   ⇨ *I work part-time at* ＋ 場所

   私は100円ショップでアルバイトをしています．

   ▶「アルバイト」は **part-time job** と言います．例文を見てみましょう．

   I'm looking for a part-time job.
   （私はアルバイトを探しています）

   ▶アルバイトをして学費をかせぐのが当たり前のアメリカの大学生には **work** だけで，「アルバイトをする」という意味が伝わります．

   I've got to work on Sundays.
   （私は毎週日曜日はアルバイトをしなければなりません）

2. **I work part-time** at a department store.

   私はデパートでアルバイトをしています．

3. **I work part-time** at a gas station.

   私はガソリンスタンドでアルバイトをしています．

4. **I work part-time** as a gas station attendant.
   アイ　ワーク　　　　パータイム　　　アザ　ギャス　ステイション　　アテンダント

   私はガソリンスタンドの店員のアルバイトをしています．

5. **I work part-time** as a waiter.
   アイ　ワーク　　　　パータイム　　　ア　ザ　ウェイター

   私はウエイターのアルバイトをしています．

> 覚えておきたい表現
>
> **These students are part-timers.**
> ジーズ　　ステューデンツ　　アー　　パータイマーズ
>
> これらの学生はアルバイトです．
>
> **I have a full-time job.**
> アイ　ハヴァ　フル　タイム　ジョップ
>
> 私は定職についています．

🔵 42

チャレンジドリル

◆CD を聞き,下線部に適語を補充しなさい.

1. 私は南カルフォルニア大学の大学院生です.
   I'm a _____ student at the University of Southern California.

2. あなたの専攻は何ですか？
   _____ your major ?

3. 私はアメリカ文学を専攻しています.
   I'm _____ in American _____ .

4. 私は8時から10時までアルバイトをしています.
   I _____ _____ from eight to ten.

5. 今日の午後はアルバイトがあります.
   I _____ a part-time _____ this afternoon.

● 解　答 ●

1. graduate　2. What's　3. specializing, literature.
4. work part-time.　5. have, job.

93

ダイアローグ

次は自己紹介の会話です．聞いてどれだけ理解できるかチャレンジしてみましょう．

A: Nice day today, isn't it ?

B: It sure is. I'm John Brown, by the way.

A: Hi, I'm Sayuri Yoshioka.

B: Glad to meet you. What do you do, Sayuri ?

A: I go to Columbia.

B: What are you majoring in ?

A: Pharmacology. I want to be a pharmacist.

B: What year are you in ?

A: I'm a sophomore. What about you ?

B: I'm a student at Yale University. I'm studying medicine.

A: You must be smart. Say, would you like to have dinner with me tonight ?

B: Sorry. I have to work tonight. How about on Friday ?

A: All right. No problem.

日 本 語 訳

A: いい天気ですね.

B: 本当ですね. ところで, ジョン・ブラウンといいます.

A: こんにちは, 吉岡小百合です.

B: はじめまして. 小百合さん, お仕事は？

A: コロンビア大学の学生です.

B: 専攻は何？

A: 薬学です. 薬剤師になりたいんです.

B: 何年生？

A: 2年生です. あなたのお仕事は？

B: エール大学の学生です. 医学専攻です.

A: 頭いいんですね. 今夜ディナーでも一緒にどうですか？

B: ごめんなさい. 今夜はアルバイトなの. 金曜日はどうかしら？

A: いいですよ. 問題ありません.

自己紹介 (3)

　社会人が自己紹介する場合の基本的な文のパターンを見てみましょう．仕事で英語を使う機会は，今後ますます増えていくことでしょうから，しっかりと勉強しておきましょう．

《基本文のパターン》

❶ I'm～．　　　　　　私は～です．
　アイム
❷ I work for～．　私は～に勤めています．
　アイ　ワーク　フォー
❸ I'm in the～Section.
　アイム　イン　ザ　　　セクション
　　　　　　　　　　　私は～課にいます．

❶ I'm 〜.
アイム
私は〜です.

☞ "〜"に職業, 名前, 役職がくる言い方に慣れましょう.

1. **I'm a bank clerk.** ⇨ *I'm +* 職業
   アイマ　バンク　クラーク
   私は銀行員です.

   ▶冠詞に注意しながら職業を表す次の語句で置き換え練習をしましょう.

   architect　　　（建築家）
   アーキテクト

   dentist　　　（歯科医）
   デンティスト

   doctor　　　（医者）
   ドクター

   engineer　　　（エンジニア）
   エンジニア

   flight attendant　（客室乗務員）
   フライト　アテンダント

   lawyer　　　（弁護士）
   ロイヤー

   loan shark　　（サラ金業者）
   ロウン　シャーク

   nurse　　　（看護師）
   ナース

   police officer （警察官）
   ポリース　オフィサー

   public accountant　（公認会計士）
   パブリック　アカウンタント

   salesperson　（セールスマン）
   セイルズパースン

   teacher　　　（教師）
   ティーチャー

   TV personality　（タレント）
   ティーヴィー　パーソナリティ

   vet　　　（獣医）
   ヴェット

▶ 日本語では仕事を聞かれた時，具体的な職業まで言わず，「サラリーマン」「会社員」「OL」で済ますことが多いのですが，英語では具体的な職業を言ったり，勤務先を述べるのが普通です．

なお，日本語の「サラリーマン」「会社員」「OL」は次のように表すことができます．

I'm a company employee.
アイマ　　　カンパニー　　エンプロイイー
（私はサラリーマン／会社員／OL です）

I'm an office worker.
アイマン　オフィス　ワーカー
（私はサラリーマン／会社員／OL です）

I work in an office.
アイ　ワーク　インナノフィス
（私はサラリーマン／会社員／OL です）

2. **I'm Kato of Nissan.**　⇨ *I'm* + 名前 (*of* + 会社)
   アイム　カトー　オヴ　ニッサン
   日産の加藤です．

   ▶ 企業名は後ろに添えます．

3. **I'm Williams, branch manager.**　⇨ *I'm* + 名前, 所属
   アイム　ウィリアムズ　ブランチ　マネージャー
   支店長のウイリアムズです．

   ▶ 役職についている人がひとりの場合は，冠詞は省略されます．
   ▶ 代表的な役職名は次のとおりです．

   chairman　　　（取締役会長）
   チェアーマン

   president　　　（社長）
   プレジデント

   vice-president　（副社長）
   ヴァイス　プレジデント

   general manager　（部長）
   ジェネラル　マネージャー

   section chief　（課長）
   セクション　チーフ

4. **I'm** Thomas, export manager at General Motors.
   アイム　トーマス　エクスポート　マネージャー　アッ(ト)　ジェネラル　モーターズ

   ジェネラル・モーターズの輸出課のトーマスです.

5. **I'm** Johnson, plant manager at Sharp Electric.
   アイム　ジョンソン　プラント　マネージャー　アッ(ト)　シャープ　エレクトリック

   シャープ電気の工場長のジョンソンです.

> 覚えておきたい表現
>
> 第3者を紹介する言い方です.
>
> **This is Ms.Takabayashi, our president.**
> ジィス　イズ　ミズ　タカバヤシ　アワ　プレジデント
>
> こちらが社長の高林です.

❷ I work for～.

私は～に勤めています．

☞ 勤務先を言う時の表現です．"～"には会社の種類や企業名がきます．

1. **I work for** Gifu Bank.　⇨ *I work for* + 会社／会社名
   私は岐阜銀行に勤めています．

2. **I work for** Tokai Electric.
   私は東海電気に勤めています．

3. **I work for** a securities firm.
   私は証券会社に勤めています．

4. **I work for** a travel agency.
   私は旅行代理店に勤めています．

5. **I work for** an oil company.
   私は石油会社に勤めています．

6. Who do you **work for**?
   あなたはどちらにお勤めですか？

覚えておきたい表現

be with~で「~に勤めている」という意味を表すことができます.

例文を見ておきましょう.

I'm with an electric company. （彼は電力会社に勤めています）
アイム ウィズ アン エレクトリック カンパニー

I'm with NHK. （私はNHKに勤めています）
アイム ウィズ エヌエイチケー

会社の規模などを表す言い方です.

We have ten branches in Shanghai.
ウィ ハヴ テン ブランチーズ イン シャンハイ

当社は上海に支店が10あります.

We have about 300 employees.
ウィ ハヴ アバウト スリーハンドレッド エンプロイイーズ

当社には社員が300人います.

❸ I'm in the～Section.
アイム イン ザ　　　　　セクション
私は～課にいます．

☞ 勤務先での所属部署を言う時の表現です．**Section** の代わりに
Department が使われることもあります．

1. **I'm in the** Personnel **Section.** ⇨ *I'm in* ＋ 部所
   アイム イン ザ パーソネル セクション
   私は人事課にいます．

2. **I'm in the** Accounting **Section.**
   アイム イン ジ アカウンティング セクション
   私は経理課にいます．

3. **I'm in the** Administrative Affairs **Section.**
   アイム イン ジ アドミニストラティヴ アフェアーズ セクション
   私は総務課にいます．

4. **I'm in the** General Affairs **Section.**
   アイム イン ザ ジェネラル アフェアーズ セクション
   私は庶務課にいます．

5. **I'm in the** Sales **Section.**
   アイム イン ザ セイルズ セクション
   私は販売課にいます．

覚えておきたい表現

相手に所属を尋ねる言い方です．

What section are you in ?
ワッ(ト) セクション アー ユー イン
あなたは何課にいらっしゃいますか？

チャレンジドリル

◆CDを聞き下線部に適語を補充しなさい．

1. 私はNTTで宣伝部長をしています．
   I'm _____ _____ at NTT.

2. 私は貿易会社に勤めています．
   I work for a _____ _____ .

3. 私は証券会社に勤めて5年になります．
   I've been working for a _____ _____ for five years.

4. 私は財務課にいます．
   I'm in the _____ _____ .

5. 私は調査部にいます．
   I'm in the _____ _____ .

● 解 答 ●

1．advertizing manager　2．trading company.
3．securities firm.　4．Finance Section.
5．Research Department.

ダイアローグ

次は自己紹介の会話です．聞いてどれだけ理解できるかチャレンジしてみましょう．

A: Interesting seminar, isn't it ?

B: That's exactly what I wanted to say. My name's Ted Carter.

A: I'm Jane Watson. Pleased to meet you.

B: Nice to meet you. What do you do, Jane ?

A: I work for Pacific Airlines. I'm in the Planning Department. What about you, Ted ? Who do you work for ?

B: I'm with Honda. I'm a sales manager.

A: That's good to hear. Can you give me a discount on a 2006 new model ?

B: All right. I'll knock 15 percent off.

A: Then I'll give you a free round-trip ticket to Japan.

B: Okay. It's a deal.

日　本　語　訳

A：面白いセミナーですね．

B：私もそう言おうと思っていました．私の名前はテッド・カターです．

A：ジェーン・ワトソンです．お会いできてうれしいです．

B：初めまして．ジェーンさん，お仕事は？

A：パシフィック航空に勤めています．企画課にいます．
あなたは，テッドさん？　どちらにお勤めですか？

B：ホンダです．販売部長をしています．

A：それはいいことを聞きました．2006年の新型車を値引きしてもらえますか？

B：いいですよ．15パーセント値引きしましょう．

A：それなら，日本までの無料の往復切符をさしあげますよ．

B：いいでしょう．これで決まりです．

性格

　学校で英語を勉強しても，性格を表す表現を集中的に学ぶことはまずありませんから，自分でまとめて整理しておく必要があります．
　人の性格を表す語句を覚えればいいだけですから，それほど困難な作業ではないでしょう．

《基本文のパターン》

❶ **I'm〜.**　　　　　私は〜です．
　アイム
❷ **I have〜.**　　　私は〜です．
　アイ　ハヴ

🔊 49

❶ I'm～.
アイム
私は～です．

☞ ～に性格を表す形容詞をもってきます．自分以外の人の性格を表す場合は主語を **You**，**He**，**She** などに換えればいいわけです．
あなた　彼　彼女

1. **I'm extroverted.**　⇨ *I'm +* 性格
   アイム　エクストラヴァーティッド
   私は外向的です．

2. **I'm optimistic.**
   アイム　オプティミスティック
   私は楽観的です．

3. **I'm stubborn.**
   アイム　スタバン
   私は頑固です．

4. **I'm talkative.**
   アイム　トーカティヴ
   私は人と話をするのが好きです．

5. **I'm sociable.**
   アイム　ソーシャブル
   私は社交的です．

▶人の性格を表す表現には次のようなものがあります．

introverted イントラヴァーティッド	内向的な
cheerful チアフル	明るい
gloomy グルーミー	暗い
pessimistic ペシミスティック	悲観的な
cheap チープ	けちな

107

shy	シャイ	恥ずかしがりな
smart	スマート	頭がいい
thoughtful	ソートフル	思いやりがある
honest	オネスト	正直な
kind	カインド	親切な
reliable	リライアブル	あてにできる
modest	モデスト	謙虚な
diligent	ディリィジェント	勤勉な
friendly	フレンドリー	人なつこい
pushy	プッシィー	でしゃばり
hard-headed	ハード ヘッディッド	頭が固い
warm-hearted	ウォーム ハーテッド	心が暖かい
cold-hearted	コールド ハーテッド	心が冷たい
quick-tempered	クイック テンパード	気が短い
easily moved to tears	イージリー ムーヴド トゥ ティアーズ	涙もろい
hard to please	ハード トゥ プリーズ	気難しい

> **覚えておきたい表現**
>
> その他の表現です
>
> **I'm optimistic about everything.**
> アイム オプティミスティック アバウト エヴリシン(グ)
>
> 私は何事にも楽観的です.
>
> **I'm a very curoius person.**
> アイマ ヴェリー キュアリアス パーソン
>
> 私は好奇心旺盛です.
>
> **He's timid.**
> ヒーズ ティミッド
>
> 彼は臆病です.
>
> **He's fun to be with.**
> ヒーズ ファン トゥ ビー ウィズ
>
> 彼は一緒にいて楽しい人です.

He is very shy...

❷ I have〜.
アイ　ハヴ
私は〜です．

☞ 動詞の **have** を使っても性格を表すことができます．

1. **I have** a big mouth.
   アイ　ハヴ　ア　ビッグ　マウス
   私はおしゃべりです．

2. **I have** a great sense of humor.
   アイ　ハヴァ　グレイト　センス　オヴ　ヒューモア
   私はユーモアのセンスが抜群です．

3. **I have** a good sense of color.
   アイ　ハヴァ　グッド　センス　オヴ　カラー
   私は色彩感覚が優れています．

4. **I have** no sense of direction.
   アイ　ハヴ　ノウ　センス　オヴ　ディレクション
   私は方向音痴です．

5. **I have** no manners.
   アイ　ハヴ　ノウ　マナーズ
   私は礼儀知らずです

> 覚えておきたい表現
>
> **I have a strong will.**
> アイ　ハヴァ　ストロング　ウィル
> 私は意思が強いです．

チャレンジドリル

◆CD を聞き下線部に適語を補充しなさい.

1. 彼は優しいです.

   He's _____ .

2. 彼は有能です.

   He's _____ .

3. 彼は世間知らずです.

   He's _____ .

4. 彼は自己中心的です.

   He's _____ .

5. 彼は常識がありません

   He has no _____ _____ .

● 解　答 ●

1. gentle　2. capable　3. naive　4. self-centered
5. common sense

ダイアローグ

性格に関する短い会話です．聞いてどれだけ理解できるか，チャレンジしてみましょう．

1. A: Tell me about your personality.

    B: I think I'm cheerful and sociable. What about you?

    A: I'm short-temperd and I hate to lose.

2. A: What kind of person do you think you are?

    B: I think I'm a quiet, serious type. How about you?

    A: I have a generous and broad-minded personality.

    B: Great. Can I borrow twenty dollars?

日 本 語 訳

A: あなたの性格を教えてください.

B: 私は陽気で社交的です. あなたは?

A: 私は短気で負けず嫌いです.

A: 自分がどんな性格だと思いますか?

B: もの静かで, まじめなタイプだと思います. あなたは?

A: 気前がよくて, 心が広いです.

B: 素晴らしい. 20ドル貸してもらえますか?

相手を知る

　人は誰でも自分のことを聞いて欲しいという気持ちを，多かれ少なかれ持っているものです．英語を話す時も，相手に関心を持っているということを感じさせるような質問を用意しておき，会話のキャッチボールができるようにしましょう．

《基本文のパターン》

❶ May I～ ?　　　　　～してもいいですか？
　メーアイ
❷ Could you～ ?　　　～していただけますか？
　クッジュー
❸ Do you～ ?　　　　 ですか？
　ドゥ　ユー
❹ What～ ?　　　　　～は何ですか？
　ワッ(ト)
❺ Where～ ?　　　　 ～はどこですか
　ウェアー
❻ When～ ?　　　　　いつ～ですか？
　ウェン
❼ How～ ?　　　　　 どれくらい～ですか？
　ハウ

❶ May I 〜 ?

〜してもいいですか？

☞「〜してもいいですか？」と相手に許可を求める丁寧な言い方に慣れましょう．**may** の代わりに **can** を使うとややインフォーマルでくだけた響きがします．

また，初対面の人に年齢や名前を尋ねるのにいきなり **How old are you ?**, **What's your name ?** という言い方はあまりいい印象を与えないことも知っておきましょう．

1. **May I** ask you a question ?
   質問してもいいですか？

2. **May I** ask how old you are ?
   年齢を聞いてもいいですか？

3. **May I** have your name ? ⇨ *May I have* ＋ 知りたい内容
   お名前は何とおしゃいますか？

4. **May I** have your phone number ?
   電話番号を教えていただけますか？

5. **May I** have your address ?
   住所を教えていただけますか？

❷ Could you〜?
クッジュー
〜していただけますか?

☞「〜していただけますか?」と相手に丁寧に依頼する時の言い方です。

1. **Could you** introduce yourself?
   クッジュー　イントロデュース　ユアセルフ
   自己紹介していただけますか?

2. **Could you** tell me about yourself?
   クッジュー　テル　ミー　アバウト　ユアセルフ
   ご自分のことを話していただけますか?

3. **Could you** tell me about your family?
   クッジュー　テル　ミー　アバウト　ユア　ファミリー
   ご家族のことを話していただけますか?

4. **Could you** give me your name?
   クッジュー　ギヴ　ミー　ユア　ネイム
   名前を教えていただけますか?

5. **Could you** repeat your name?
   クッジュー　リピート　ユア　ネイム
   名前をもう一度言っていただけますか?

🎧 55

❸ Do you〜 ?
ドゥ　　ユー
〜ですか？

☞ このパターンを使えば，いろいろな動詞を用いることで多くの質問をすることができます．

1. **Do you** have any brothers or sisters ?　⇨ *Do you* ＋動詞
   ドゥ　ユー　ハヴ　エニー　ブラザーズ　オア　シスターズ
   兄弟はいますか？

2. **Do you** play any musical instrument ?
   ドゥ　ユー　プレイ　エニー　ミュージカル　インストラメント
   楽器は何か演奏しますか？

3. **Do you** take part in any sport ?
   ドゥ　ユー　テイク　パート　イン　エニー　スポート
   スポーツは何かやりますか？

4. **Do you** speak Japanese ?
   ドゥ　ユー　スピーク　ジャパニーズ
   日本語は話せますか？

5. **Do you** work part-time ?
   ドゥ　ユー　ワーク　パートタイム
   アルバイトはしていますか？

❹ What～ ?
ワッ(ト)
～は何ですか？

☞ 相手の職業，趣味などを聞く時の言い方です．

1. **What** do you do ?
   ワッ(ト) ドゥ ユー ドゥー
   お仕事は何ですか？

   ▶仕事を尋ねるのに次のような言い方もあります．

   What do you do for a living ?
   ワッ(ト) ドゥ ユー ドゥー フォー ア リヴィン(グ)
   (どうやって生計を立てていますか？)

   What's your occupation ?
   ワッツ ユア オキュペイション
   (仕事は何ですか？)

2. **What** do you do in your free time ?
   ワッ(ト) ドゥ ユー ドゥー イン ユア フリー タイム
   暇な時は何をしていますか？

   ▶次の言い方も同じ意味です．

   What's your favorite pastime ?
   ワッツ ユア フェイヴァリット パスタイム
   お気に入りに気晴らしは何ですか？

118

3. **What** are your hobbies ?
   ワッ(ト)　アー　ユア　ホビーズ
   趣味は何ですか？

   ▶好きな映画，好きな音楽など具体的なタイトルを知りたい時は次のように言います．
   　What kind of movies do you like ?
   　ワッ(ト)　カインヴ　ムーヴィーズ　ドゥ　ユー　ライク
   　あなたはどんな映画が好きですか？

4. **What** school do you go to ?
   ワッ(ト)　スクール　ドゥ　ユー　ゴウ　トゥー
   学校はどちらですか？

   ▶"school" だけで「大学」という意味で使われるときもあります．

5. **What** are you majoring in ?
   ワッ(ト)　アー　ユー　メイジャーリング　イン
   専攻は何ですか？

❺ Where〜 ?
ウェア
〜はどこですか？

☞ 出身や生まれなどを聞く時の言い方です．

1. **Where** are you from ?
   ウェア アー ユー フロム
   出身はどちらですか？

   ▶ Where do you come from ? も同じ意味で使えます．
   ウェア ドゥ ユー カム フロム

2. **Where** were you born ?
   ウェア ワー ユー ボーン
   お生まれはどちらですか？

3. **Where** did you pick up Japanese ?
   ウェア ディジュー ピカップ ジャパニーズ
   日本語をどこで覚えましたか？

   ▶ "pick up" は "learn" と置き換えても構いません．
   　 ピカップ 　　　ラーン

4. **Where** do you live ?
   ウェア ドゥ ユー リヴ
   どこにお住まいですか？

5. **Where** would you like to visit in Japan ?
   ウェア ウッジュー ライク トゥ ヴィジット イン ジャパン
   日本のどこを訪ねたいですか？

❻ When〜 ?
ウェン
いつ〜ですか？

☞ 行為や出来事の起きた時間を尋ねる言い方です．動詞の時制に注意しながら見てみましょう．

1. **When** did you come to Japan ?
   ウェン　ディジュー　カム　トゥ　ジャパン
   いつ日本へ来ましたか？

2. **When** did you go there ?
   ウェン　ディジュー　ゴウ　ゼア
   そこへはいつ行きましたか？

3. **When** were you born ?
   ウェン　ワー　ユー　ボーン
   お生まれはいつですか？

4. **When** is your birthday ?
   ウェン　イズ　ユア　バースデイ
   誕生日はいつですか？

5. **When** can I see you next time ?
   ウェン　キャナイ　シー　ユー　ネクスタイム
   次にいつ会えますか？

   ▶知り合いになり，次に会う約束をしたい時の表現です．

❼ How〜?
ハウ
どれくらい〜ですか？

☞ 期間，量，頻度を尋ねる言い方に慣れましょう．

1. **How** long are you going to stay in Japan?
   ハウ ロング アー ユー ゴウイング トゥ ステイ イン ジャパン
   日本にはどれくらい滞在する予定ですか？

2. **How** long have you been studying Japanese?
   ハウ ロング ハヴ ユー ビーン スタディング ジャパニーズ
   日本語を勉強してどれくらいですか？

   ▶ 頻度・経験を表わすのに《have＋been...》のように現在完了形を使います．

   Have you ever been to Kyoto?
   ハヴ ユー エヴァー ビーン トゥ ギョウト
   京都へは行ったことがありますか？

3. **How** many people are there in your family?
   ハウ メニー ピープル アー ゼア イン ユア ファミリー
   家族は何人ですか？

4. **How** many books do you read a month?
   ハウ メニー ブックス ドゥ ユー リーダ マンス
   月に何冊本を読みますか？

5. **How often do you go to the movies ?**
   ハウ　オフン　ドゥ　ユー　ゴウ トゥ ザ　ムーヴィーズ
   どれくらいおきに映画に行きますか？

> **覚えておきたい表現**
>
> How〜？を使って具体的な感想を尋ねる言い方です．
>
> **How do you like Japan ?**
> ハウ　ドゥ　ユー　ライク　ジャパン
> 日本はどうですか？

チャレンジドリル

◆CD を聞き下線部に適語を補充しなさい．

1. メールのアドレスを教えていただけますか？

   _____ _____ _____ your e-mail address ?

2. 携帯電話の番号を教えていただけますか？

   _____ _____ _____ me your cell phone number ?

3. 卒業後はどうするつもりですか？

   _____ _____ _____ _____ _____ do after graduation ?

4. どこに行っていたのですか？

   _____ _____ you been ?

5. スノーボーディングをいつ始めましたか？

   _____ _____ you take up snowboarding ?

6. 体重はどれくらいありますか？

   _____ _____ _____ you weigh ?

7. 土曜日は何か予定がありますか？

   _____ _____ _____ any plans on Saturday ?

8. どちらの会社にお勤めですか？

　　_____ company do you _____ for ?

9. 何課にいらっしゃいますか？

　　_____ _____ are you in ?

10. KDD に勤めてどれくらいになりますか？

　　_____ _____ have you been with KDD ?

● 解　　答 ●

1. May I have　2. Could you give
3. What are you going to　4. Where have　5. When did
6. How much do　7. Do you have　8. Which, work
9. What section　10. How long

ダイアローグ

次はパーティーの場面です．お互いを知るためにいろいろと相手に尋ねています．聞いてどれだけ理解できるか，チャレンジしてみましょう．

A: Nice party, isn't it ?

B: It sure is.

A: My name's John Conners.

B: Glad to meet you. I'm Sayaka Nakao.

A: Sorry ? Could you repeat your name ?

B: Sayaka Nakao.

A: May I ask where you're from, Sayaka ?

B: I'm from Japan.

A: What are you doing here in Victoria ?

B: I'm studying at Victoria University.

A: Oh, are you ? How long have you been here ?

B: Three months. What do you do, John ?

A: I'm teaching English at Simon Frazer University.

B: Great ! Do you think you can give me English lessons when you have time ?

A: Sure. I'll be glad to. When can we start ?

B: How about next weekend ?

A: Perfect.

日 本 語 訳

A: 楽しいパーティーですね.

B: そうですね.

A: ジョン・コナーズといいます.

B: はじめまして. 中尾沙耶香です.

A: すみません. もう一度お名前をおっしゃっていただけますか？

B: 中尾沙耶香です.

A: お国はどこか聞いてもいいですか？

B: 日本です.

A: ビクトリアで何をしているんですか？

B: ビクトリア大学で勉強しています.

A: そうですか？　ここに来てどれくらいですか？

B: 3カ月です. ジョン, あなたのお仕事は？

A: サイモン・フレーザー大学で英語を教えています.

B: それはいい. 時間のある時に, 英語のレッスンをしてもらえますか？

A: もちろん. 喜んで. いつから始められますか？

B: 来週の週末はどうですか？

A: いいですよ.

感情(1) 喜怒哀楽

　日本人は感情を表さないので，何を考えているのか分からないと言われることがあります．そのひとつの原因は，英語の感情表現をまとめて学校で教わることがまずないからでしょう．
　これを機会に，英語の感情表現を集中的に勉強してみましょう．

《基本文のパターン》

❶ I'm〜.　　　　　　　私は〜です．
　アイム
❷ I'm〜to... .　　　　 私は…して〜です．
　アイム　トゥ
❸ I'm〜that... .　　　私は…ということが〜です．
　アイム　　ザット

128

❶ I'm 〜.

私は〜です.

☞ "〜"には心の状態を表す語句がきます.

1. **I'm** so happy.
   私はとてもうれしいです.

   ▶ happy は次のように「満足した」という意味でも使われることを覚えておきましょう.

   I'm happy with my job. （私は仕事に満足しています）

2. **I'm** pleased with my new dress.
   私は新しいドレスが気に入っています.

3. **I'm** disappointed with the result of the English examination.
   私は英語の試験の結果にがっかりしています.

4. **I'm** surprised at the news.
   私はその知らせに驚いています.

5. **I'm** angry with Ms. Robinson.
   私はロビンソンさんには腹が立ちます.

6. **I'm** sad about my uncle's death.
   私はおじさんが亡くなって悲しいです.

7. **I'm** worried about my future.
   アイム　ワリード　アバウト　マイ　フューチャー

   私は自分の将来を心配しています．

> **覚えておきたい表現**
>
> 相手の表情から「〜のようである」といいたいときには，**look** を使って次のように言うことができます．
>
> **You look happy.** 　（うれしそうですね）
> ユー　ルック　ハッピー
>
> **You look angry.** 　（怒っているみたいですね）
> ユー　レック　アングリー
>
> **You look sad.** 　（悲しそうですね）
> ユー　レック　サッド

❷ I'm～to... .

私は…して～です．

☞ ①で覚えた表現で…に動詞がくるパターンを見ておきましょう．

1. **I'm happy to** be here again.
   私はまたここに来れてうれしいです．

2. **I'm glad to** hear the news.
   私はその知らせを聞いてうれしいです．

3. **I'm excited to** see her again.
   また彼女に会えてワクワクしています．

4. **I'm surprised to** hear about his accident.
   私は彼が事故にあったことを聞いて驚いています．

5. **I'm angry to** have missed my bus.
   私はバスに乗り遅れて腹を立てています．

6. **I'm sad to** hear you got fired.
   私はあなたが首になったと聞いて悲しいです．

❸ I'm～that... .
アイム　　　ザット
私は…ということが～です．

☞ ①で覚えた表現でさらに発展した表現です．that...に「主語＋動詞」の文がくるパターンです．that はよく省略されます．

1. **I'm** happy **that** you could make it.
   アイム　ハッピー　ザット　ユー　クッド　メイキット
   私はあなたが来てくれてうれしいです．

2. **I'm** glad you passed the entrance examination.
   アイム　グラッド　ユー　パスト　ジ　エントランス　エグザミネイション
   私はあなたが入学試験に合格してうれしいです．

3. **I'm** surprised **that** you won the prize.
   アイム　サプライズド　ザット　ユー　ワン　ザ　プライズ
   私はあなたは賞を取ったことに驚いています．

4. **I'm** angry **that** you quit school before graduation.
   アイム　アングリー　ザット　ユー　クイット　スクール　ビフォー　グラジュエイション
   私は卒業前にあなたが学校をやめたことに腹を立てています．

5. **I'm** sad **that** my son got a D in math.
   アイム　サッド　ザット　マイ　サン　ゴッタ　ディー　イン　マス
   私は息子が数学で D を取って残念です．

チャレンジドリル

◆CDを聞き下線部に適語を補充しなさい．

1. あなたの誕生パーティーに喜んでおうかがいします．
   _____ _____ _____ to come to your birthday party.

2. その悪い知らせを聞いて私はショックを受けています．
   I'm _____ to hear the bad news.

3. 私はこのテニスクラブの会員であることを誇りに思っています．
   I'm _____ to be a member of this tennis club.

4. 私は新しい携帯電話を見つけてほっとしました．
   I was _____ to have found my new cell phone.

5. 私は子供たちがうるさいので腹を立てました．
   I _____ _____ at my children for being noisy.

● 解　答 ●

1. I'll be happy   2. shocked   3. proud   4. relieved
5. got angry

ダイアローグ

次は友達どうしの会話です．相手の様子を気づかったり，自分の状態を述べたりしています．聞いてどれだけ理解できるか，チャレンジしてみましょう．

A: Hi, John.

B: Hi, Mary.

A: You don't look very happy. Any reason ?

B: I broke up with Sally yesterday.

A: Don't get angry with her.

B: What do you mean ?

A: I'm not surprised that she left you. She prefers a good-looking guy. I know how she feels. I'll be glad to get you a mirror. OK ?
Come on ! Cheer up. Why don't you try to find a more beautiful, charming girl ?

B: You're right.

A: I'll be happy to help you out. You can count on me.

日　本　語　訳

A：こんにちはジョン．

B：やあ，メアリー．

A：浮かない顔をしてるけど．　何かあった？

B：きのうサリーと別れたんだ．

A：彼女に腹を立ててはダメよ．

B：どういうこと？

A：彼女があなたにさよならしても私は驚かないわ．彼女はルックスのいい男がお好みなの．彼女に同情するわ．私は喜んであなたに鏡を買ってあげるわ．ね？
さあ，元気を出して．もっと美人で，チャーミングな女の子を見つけたら？

B：そうだね．

A：喜んで力になるわ．私にまかせて．

感情(2) 好き嫌い

好き，嫌いの表現を見ていきましょう．like, love のような中学生でも知っている単語の使い方に慣れることから始めましょう．

また，英英辞典なども利用して，できるだけ多くの例文を頭に入れ，語感を磨くことが大切です．

《基本文のパターン》

❶ I like〜.　　　　　〜が好きです．
❷ I love〜.　　　　　〜が大好きです．
❸ I'm into〜.　　　　〜にはまっています．
❹ I'm good at〜.　　〜が上手です．
❺ My favorite〜is... .
　　　　　　　　　　私の好きな〜は…です．
❻ I don't like〜.
　　　　　　　　　　〜が好きではありません．
❼ I hate〜.　　　　　〜が嫌いです．

🔊 67

❶ I like〜.
アイ ライク
　〜が好きです.

☞ "〜"には物や事柄などがきます.

1. **I like** music.　⇨ *I like* ＋ 各詞
   アイ ライク ミュージック

   私は音楽が好きです.

   ▶次の語句で置き換え練習をしましょう.

   　　pop music　　　（ポップス）
   　　ポップ ミュージック

   　　classical music　（クラシック）
   　　クラシカル ミュージック

   　　rock music　　　（ロック）
   　　ロック ミュージック

   　　heavy metal　　（ヘビーメタル）
   　　ヘヴィー メタル

   　　jazz　　　　　　（ジャズ）
   　　ジャズ

2. **I like** action movies.
   アイ ライク アクション ムーヴィーズ

   私はアクション映画が好きです.

   ▶次の語句で置き換え練習をしましょう.

   　　adult movies　　　　（成人映画）
   　　アダルト ムーヴィーズ

   　　adventure movies　　（冒険映画）
   　　アドヴェンチャー ムーヴィーズ

   　　animated movies　　（アニメ映画）
   　　アニメイティッド ムーヴィーズ

   　　documentary movies　（記録映画）
   　　ドキュメンタリー ムーヴィーズ

   　　educational movies　（教育映画）
   　　エジュケイショナル ムーヴィーズ

   　　gangster movies　　　（ギャング映画）
   　　ギャングスター ムーヴィーズ

   　　horror movies　　　　（ホラー映画）
   　　ホラー ムーヴィーズ

137

kung fu movies　　　　　（カンフー映画）

science fiction movies　（SF映画）

suspense movies　　　　（サスペンス映画）

spy movies　　　　　　　（スパイ映画）

American movies　　　　（アメリカ映画）

Chinese movies　　　　　（中国映画）

Korean movies　　　　　（韓国映画）

Japanese movies　　　　（日本映画）

3. **I like** math.

   私は数学が好きです．

   ▶次の語句で置き換え練習をしましょう．

   English　（英語）

   Chinese　（中国語）

   history　（歴史）

   chemistry　（化学）

   physics　（物理学）

4. **I like** baseball.

   私は野球が好きです．

5. **I like** playing baseball.　　⇨ *I like* ＋動詞の ing 形

   私は野球をすることが好きです．

   ▶4, 5で次の語句で置き換え練習をしましょう．

   badminton　　　　　　　（バドミントン）

basketball バスケットボール	（バスケット）
golf ゴルフ	（ゴルフ）
rugby ラグビー	（ラグビー）
soccer サッカー	（サッカー）
squash スクワッシュ	（スカッシュ）
table tennis / ping-pong テイブル　テニス　　　ピンポン	（卓球）

覚えておきたい表現

「私は～の大ファンです」という言い方で好きだという感情を表すことができます．

I'm a huge fan of baseball.
アイマ　ヒュージ　ファン　オヴ　ベイスボール

私は野球の大ファンです．

🔘 68

❷ I love〜.
アイ　ラヴ
〜が大好きです．

☞ **love** の意味は「愛する」と覚えていると "〜" には人しかこない
と思いがちですが，実際には「大好きである」という意味で物や事柄
を目的語にすることができます．

1. **I love** this chair.　　⇨ *I Love*＋名詞
   アイ　ラヴ　ジス　チェア
   私はこの椅子が気にいっています．

2. **I love** beer.
   アイ　ラヴ　ビア
   私はビールが大好きです．

   ▶次の語句で置き換え練習をしましょう．

whisky ウィスキー	（ウイスキー）
brandy ブランディー	（ブランデー）
Scotch on the rocks スコッチ　オン　ザ　ロックス	（オンザロックのスコッチ）
coffee コフィー	（コーヒー）
milk ミルク	（ミルク）
orange juice オレンジ　ジュース	（オレンジジュース）
tea ティー	（紅茶）
Coke コウク	（コーラ）

3. **I love** animals.
   アイ　ラヴ　アニマルズ
   私は動物が大好きです．

4. **I love** singing songs.　　⇨ *I love* ＋ 動詞の ing 形
   アイ　ラヴ　シンギング　ソングズ

   私は歌を歌うのが大好きです．

5. **I love** playing the piano.
   アイ　ラヴ　プレイング　ザ　ピアノ

   私はピアノを弾くのが大好きです．

   ▶次の語句で置き換え練習をしましょう．

guitar ギター	（ギター）
violin ヴァイオリン	（バイオリン）
flute フルート	（フルート）
cello チェロ	（チェロ）
timpani ティンパニ	（ティンパニー）
trumpet トランペット	（トランペット）
trombone トゥロンボウン	（トロンボーン）
tuba テューバ	（チューバ）

141

❸ I'm into〜.
〜にはまっています.

☞ **I'm into〜.** のパターンで「〜にはまっている, のめり込んでいる, 夢中になっている」という意味を表す言い方を見ておきましょう.

1. **I'm into** combat sports.　⇨ *I'm into* ＋ 名詞
   わたしは格闘技にはまっています.

2. **I'm into** golf.
   私はゴルフにはまっています.

3. **I'm into** painting in oils.
   私は油絵にはまっています.

4. **I'm into** detective stories.
   私は探偵小説にはまっています.

5. **I'm into** gardening.
   私はガーデニングにはまっています.

覚えておきたい表現

I enjoy skiing and skating in winter.
私は冬にスキーとスケートを楽しんでいます.

❹ I'm good at〜.
アイム　　　　グダット
〜が上手です.

☞「上手な,うまい,熟達した」という意味の good の用法に慣れま
　　　　　　　　　　　　　　　　　　　グッド
しょう.

1. **I'm good at** tennis.
   アイム　グダット　テニス
   私はテニスが上手です.

2. **I'm good at** math.
   アイム　グダット　マス
   私は数学が得意です.

   ▶「〜が下手である」という時は,否定文にするか,**bad**, **poor**
   を用います.

   - I'm not good at speaking English.
     アイム ノット グダット スピーキング イングリッシュ
     私は英会話は得意ではありません.

   - I'm bad at math.
     アイム バッダッ(ト) マス
     私は数学が苦手です.

   - I'm poor at chemistry.
     アイム プア アット ケミストリー
     私は化学は苦手です.

3. **I'm good at** foreign languages.
   アイム　グダット　フォーリン　ラングィッジィズ
   私は外国語が得意です.

4. **I'm good at** swimming
   アイム　グダット　スウィミング
   私は泳ぎがうまいです.

5. **I'm good at** driving.
   私は車の運転が上手です．

> **覚えておきたい表現**
>
> 「…するのが上手である」という時には，動詞から派生した「…する人」という意味の名詞に **good** をつけて表現することがよくあります．
>
> ― **I'm a good swimmer.**
>   私は泳ぎがうまいです．
>
> ― **I'm a good driver.**
>   私は車の運転が上手です．
>
> ― **I'm a good runner.**
>   私は足が速いです．
>
> ― **I'm a good cook.**
>   私は料理が上手です．
>
> ― **I'm a good baseball player.**
>   私は野球がうまいです．
>
> ― **I'm a bad driver.**
>   私は車の運転が下手です．
>
> ― **I'm a poor cook.**
>   私は料理が下手です．

❺ My favorite〜is... .

私の好きな〜は….

☞ **favorite** は「好きな」「お気に入りの」という意味です.

1. **My favorite** sport **is** American football.
   私の好きなスポーツはアメリカン・フットボールです.

2. **My favorite** movie **is** "Armageddon."
   私の好きな映画は「アルマゲドン」です.

3. **My favorite** movie actress **is** Julia Roberts.
   私の好きな映画俳優(女優)はジュリア・ロバーツです.

   ▶最近では女優に対しても **actor** が使われています.

4. **My favorite** subject **is** English.
   私の好きな科目は英語です.

5. **My favorite** composer **is** Bach.
   私の好きな作曲家はバッハです.

覚えておきたい表現

prefer A to B の表現を使えば, 好きなものをより強調できます.

I prefer coffee to tea. 私はお茶よりコーヒーが好きです.

❻ I don't like〜.
アイ　ドント　ライク
〜が好きではありません．

☞ **I like〜.** の否定文です．
　　アイ ライク

1. **I don't like** cats.　　⇨ *I don't like*＋名詞
   アイ　ドント　ライク　キャッツ
   私は猫が好きではありません．

2. **I don't like** spicy food.
   アイ　ドント　ライク　スパイシー　フード
   私はスパイスの効いた料理は好きではありません．

3. **I don't like** vegetables.
   アイ　ドント　ライク　ヴジタブルズ
   私は野菜が好きではありません．

4. **I don't like** economics.
   アイ　ドント　ライク　エコノミックス
   私は経済学が好きではありません．

5. **I don't like** studying English.
   アイ　ドント　ライク　スタディング　イングリッシュ

   ⇨ *I don't*＋*like*＋動詞の ing 形

   私は英語を勉強するのが好きではありません．

覚えておきたい表現

I'm not fond of Korean food.
アイム　ノット　フォンヴ　コリーアン　フード
韓国料理は好きではありません．

❼ I hate～.

アイ　ヘイト
〜が嫌いです．

☞ hate は「嫌う」という意味です．

1. **I hate** spiders.　⇨ *I hate* ＋ 名詞
   私はクモが嫌いです．

2. **I hate** beef.
   私は牛肉が嫌いです．

3. **I hate** carrots.
   私はニンジンが嫌いです．

4. **I hate** chemistry.
   私は化学が嫌いです．

5. **I hate** studying German.　⇨ *I hate* ＋ 動詞の ing 形
   私はドイツ語の勉強が嫌いです．

覚えておきたい表現

I can't stand rock music.
ロック音楽には我慢できません．

チャレンジドリル

◆CD を聞き下線部に適語を補充しなさい.

1. 私はバレーボールをするのが好きです.
   I _____ playing _____ .

2. 私は夏にサーフィンをするのが大好きです.
   I _____ _____ in summer.

3. 私はバタフライが得意です.
   I'm _____ _____ the butterfly.

4. 私の好きなテレビ番組は「プロジェクト X」です.
   _____ _____ TV program is "Project X."

5. 私は人前で話すのが嫌いです.
   I _____ _____ in public.

● 解　答 ●

1. like, volleyball.　2. love surfing　3. good at
4. My favorite　5. hate speaking

I like playing bowling.

ダイアローグ

次の会話はお互いの趣味について話し合っています．

好きな音楽と得意科目についての短い会話です．聞いてどれだけ理解できるかチャレンジしてみましょう．

1. A: What kind of music do you like ?

    B: I love classical music.

    A: Do you have any favorite composers ?

    B: Chopin is one of my favorite composers. How about you ?

    A: I prefer pop music to classical music. I'm a fan of "Morning Musume."

2. A: How was the English exam last week ?

    B: Don't ask me. You know I'm poor at English. I'm afraid I didn't do well. I'd hate to repeat the course. I envy you. You're good at English, aren't you ?

    A: Yes, I am, but I'm bad at math. I think I'll get a D this semester.

日 本 語 訳

1. A：どんな音楽が好きですか？

   B：クラシック音楽が大好きです．

   A：好きな作曲家はいますか？

   B：ショパンが好きな作曲家の一人です．あなたは？

   A：クラシック音楽よりポップスの方が好きです．モーニング娘のファンです．

2. A：先週の英語の試験はどうだった？

   B：聞かないでくれよ．君も知ってるように，僕は英語が苦手なんだ．あまりよくできなかったと思うよ．再履修は嫌だなあ．君が羨ましいよ．君は英語が得意だろ？

   A：そうだよ．でも数学は駄目だよ．今学期はDをもらうと思うよ．

Part 3　トピック別表現

天気

❶ 今日はどんな天気ですか？

❷ 今日は暖かいです．

❸ 今日は暑いです．

❹ 今日は蒸し暑いです．
　＊ sultry も蒸し暑いという意味で使われます．

❺ 今日は湿度が高いです．

❻ 今日は寒いです．

❼ 今日は凍るような寒さです．

❽ 今日は涼しいです．

❾ 今日は風が強いです．

❿ 今日は天気がいいです．

⓫ 今日は晴天です．
　＊ clear：雲がない．

⓬ 今日は暖かくて空には雲一つありません．

❶ What's the weather like today?

❷ It's warm today.

❸ It's hot today.

❹ It's muggy today.

❺ It's humid today.

❻ It's cold today.

❼ It's freezing today.

❽ It's cool today.

❾ It's windy today.

❿ It's fine today.

⓫ It's clear today.

⓬ It's warm and the skies are clear today.

⑬ 今日は曇りです.

⑭ 今日は晴れています.

⑮ いい天気ですね.

⑯ いやな天気ですね.

⑰ 雨になりそうです.

⑱ 雨が降っています.

⑲ ひどい雨です.

⑳ どしゃぶりの雨です.

㉑ まだ雨は降っていますか?

㉒ 昨日は大雨でした.

㉓ 帰る途中夕立にあいました.

㉔ ずぶ濡れになりました.

㉕ あそこで雨宿りしましょう.

㉖ 雨がすぐに止んでくれればいいと思います.

⓭ It's cloudy today.
　　イッツ　クラウディ　トゥデイ

⓮ It's sunny today.
　　イッツ　サニー　トゥデイ

⓯ What a beautiful day !
　　ワラ　　ビューティフル　デイ

⓰ What a miserable day !
　　ワラ　　ミゼラブル　デイ

⓱ Looks like it's going to rain.
　　ルックス　ライク　イッツ　ゴウイン(グ)　トゥ　レイン

⓲ It's raining.
　　イッツ　レイニン(グ)

⓳ It's raining very hard.
　　イッツ　レイニン(グ)　ヴェリー　ハード

⓴ It's pouring.
　　イッツ　ポアリン(グ)

㉑ Is it still raining ?
　　イズ　イット　スティル　レイニン(グ)

㉒ We had a heavy rain yesterday.
　　ウィ　ハダ　ヘビー　レイン　イエスタデイ

㉓ I got caught in a shower on my way home.
　　アイ　ガッ(ト)　コーティンナ　シャワー　オン　マイ　ウェイ　ホウム

㉔ I got drenched to the skin.
　　アイ　ガッ(ト)　ドレンチト　トゥ　ザ　スキン

㉕ Let's take shelter over there.
　　レッツ　テイク　シェルター　オーヴァー　ゼア

㉖ I hope the rain will let up soon.
　　アイ　ホープ　ザ　レイン　ウィル　レラップ　スーン

㉗　外は雪です．

㉘　明日の天気予報は何と言っていますか？

㉙　天気予報では明日は晴れるだろうと言っています．

㉚　明日天気が良ければ、私たちは野球をするでしょう．

㉛　もし明日雨なら、私は釣りに行かないでしょう．

㉜　サンフランシスコの天気はどうですか？

㉝　北京は冬は寒いですか？

㉞　今何度ですか？

㉟　温度は34度です．

㉗ It's snowing outside.

㉘ What's the weather forecast for tomorrow?

㉙ The weatherman says it will be sunny tomorrow.

㉚ If the weather is good tomorrow, we'll play baseball.

㉛ If it rains tomorrow, I won't go fishing.

㉜ How's the weather in San Francisco?

㉝ Is it cold in Beijing in the winter?

㉞ What's the temperature now?

㉟ It's thirty-four degrees.

時間

❶ 今何時ですか？
   * 定冠詞 the を落とさないようにしましょう．Do you have time ? では，「時間はありますか？」という意味になってしまいます．
   * 次の表現も覚えましょう．
   What time do you have ?
   ワッタイム　ドゥ　ユー　ハヴ
   What time is it ?
   ワッタイム　イズ　イット
   Can you tell me the time ?
   キャニュー　テル　ミー　ザ　タイム
   Have you got the time on you ?
   ハヴ　ユー　ゴット　ザ　タイム　オンニュー

❷ 7時です．

❸ 7時1分です．

❹ 7時5分です．

❺ 7時7分です．

❻ 7時10分です．

❼ 8時15分です．
   7時15分です．

❶ Do you have the time ?
　ドゥ　ユー　ハヴ　ザ　タイム

❷ It's seven o'clock.
　イッツ　　セヴンノクロック

❸ It's one minute past (after) seven.
　イッツ　ワン　ミニッ(ト)　パスト　(アフター)　セヴン

❹ It's five past (after) seven.
　イッツ　ファイヴ　パスト　(アフター)　セヴン

❺ It's seven minutes past (after) seven.
　イッツ　セヴン　ミニッツ　パスト　(アフター)　セヴン

❻ It's ten past (after) seven.
　イッツ　テン　パスト　(アフター)　セヴン

❼ It's eight fifteen.
　イッツ　エイト　フィフティーン

　It's a quarter past (after) seven.
　イッツァ　クォーター　パスト　(アフター)　セヴン

❽ 7時30分です.

❾ 7時45分です.

❿ 7時55分です.

⓫ 7時ちょっと過ぎです.

⓬ 7時ちょうどです.

⓭ もうすぐ7時です.

⓮ 7時になりました.

⓯ もう7時を過ぎています.

⓰ 正午です.

⓱ 午前0時です.

⓲ 私の時計では5時20分です.

⓳ 私の時計は正確です.

❽ It's seven thirty.

　It's half past seven.

❾ It's seven forty-five.

　It's a quarter to eight.

❿ It's five to eight.

⓫ It's a little past seven.

⓬ It's seven o'clock sharp.

　It's seven o'clock on the dot.

⓭ It's almost seven.

⓮ It's seven o'clock now.

⓯ It's already after seven.

⓰ It's noon.

⓱ It's twelve midnight.

⓲ My watch says 5:20.

⓳ My watch keeps good time.

⑳ 私の時計は2分遅れています．

㉑ 私の時計は1分進んでいます．

㉒ 何時が都合がいいですか？

㉓ 4時ではどうですか？

㉔ 残念ですが時間がなくなってきました．
   * run out of...：…を使い果たす．

㉕ ディナーの時間です．

㉖ そろそろ寝る時間ですよ．
   * 動詞は過去形になることに注意しましょう．
   * about の代わりに high が使われることもあります．

㉗ 数学の試験はどれくらいの時間ですか？

㉘ そこへ行くのにどれくらい時間がかかりますか？

㉙ 空港まで行くのにどれくらい時間がかかりますか？

㉚ 最寄りの駅までは歩いて10分です．
   * It's a ten-minute walk to the nearest station. という言い方もあります．
   イッツ ア テン ミニッツ　ウォーク トゥ ジ ニアレスト ステイション

㉛ バンクーバーまでは飛行機で約9時間かかります．

⑳ My watch is two minutes slow.

㉑ My watch is one minute fast.

㉒ What time is good for you ?

㉓ How about four o'clock ?

㉔ I'm afraid we're running out of time.

㉕ It's time for dinner.

㉖ It's about time you went to bed.

㉗ How long is the math exam ?

㉘ How long does it take to get there ?

㉙ How long does it take to get to the airport ?

㉚ It takes about ten minutes to the nearest station on foot.

㉛ It takes about nine hours to Vancouver by plane.

㉜ 今日は何日ですか？

㉝ 今日は10月21日です．

㉞ 今日は何曜日ですか？

㉟ 今日は水曜日です．
* Today is Wednesday. も使えます．
トゥデイ　イズ　ウエンズデイ

㊱ 明日は金曜日です．
* Tomorrow is Friday. も使えます．
トゥモロウ　イズ　フライデイ

㊲ あなたはいつ出発しますか？

㊳ あなたはいつオーストラリアへ出発しますか？

㊴ 私は明日の朝出発します．
* 未来を表す基本的な表現を覚えましょう．

明日	: tomorrow	来週	: next week
明日の朝	: tomorrow morning	来月	: next month
明日の午後	: tomorrow afternoon	再来月	: the month after next
明日の晩	: tomorrow evening	来年	: next year
明日の夜	: tomorrow night	再来年	: the year after next
あさって	: the day after tomorrow		
しあさって	: in two days		

㊵ 香港に着いたらすぐ王さんを訪ねます．
* 時間を表す副詞節の中では，未来の事柄は現在形を用いて表現します．

㉜ What's today's date ?

㉝ It's October 21st today.

㉞ What day is it today ?

㉟ It's Wednesday.

㊱ Tomorrow is Friday.

㊲ When are you leaving ?

㊳ When are you leaving for Australia ?

㊴ I'm leaving tomorrow morning.

㊵ I'll visit Mr.Wang as soon as I arrive in Hong Kong.

❹❶ 私たちは来週バーベキューパーティーをします．
   * 進行形で未来を表します．

❹❷ 彼がいつ戻るか分かりますか？

❹❸ 私は昨日友達を見送りに空港へ行きました．
   * 過去を表す基本的な表現を覚えましょう．

昨日：yesterday (イエスタデイ)	おととい：the day before yesterday (ザ デイ ビフォー イエスタデイ)
昨日の朝：yesterday morning (イエスタデイ モーニン(グ))	先週：last week (ラスト ウィーク)
昨日の午後：yesterday afternoon (イエスタデイ アフターヌーン)	先々週：the week before last (ザ ウィーク ビフォー ラスト)
昨日の晩：yesterday evening (イエスタデイ イヴニン(グ))	先月：last month (ラスト マンス)
昨日の夜：last night (ラスト ナイト)	去年：last year (ラスト イヤー)

❹❹ あなたはいつ結婚しましたか？

❹❺ 私はロンドンに5回行ったことがあります．
   * 過去から現在までを意識している時は，現在完了形が使われます．

❹❻ 私は中国語を勉強して8年になります．

❹❼ 彼が亡くなって6年になります．

❹❽ 私はシアトルに行ったことはありません．

❹❾ もう宿題は終わりましたか？

㊶ We're having a barbecue party next week.

㊷ Do you have any idea when he'll be back ?

㊸ I went to the airport to see my friends off yesterday.

㊹ When did you get married ?

㊺ I've been to London five times.

㊻ I've been studying Chinese for eight years.

㊼ He's been dead for six years.

㊽ I've never been to Seattle.

㊾ Have you alreday got your homework done ?

機内

❶ すみません，私の席はどこか教えていただけますか？

❷ 搭乗券を拝見できますか？

❸ お客様の座席番号は17-C でございます．

❹ お客様の席はあちらでございます．

❺ 通路側の席です．
　　＊ aisle 発音は［ail］です．

❻ 窓際の席です．

❼ シートベルトをお締めください．

❽ パースまで何時間ですか？

❾ ニューヨークまであとどのくらいですか？

❿ チキンですか魚ですか？

⓫ チキンをください．

⓬ 何かお飲み物はいかがですか？

❶ Excuse me. Could you tell me where my seat is ?
エクスキューズ ミー　クッジュー　テル ミー　ウェア　マイ シート イズ

❷ May I see your boarding pass ?
メーアイ　シー　ユア　ボーディン(グ)　パス

❸ Your seat number is 17-C.
ユア　シート　ナンバー　イズ セヴンティーンシー

❹ Your seat is over there.
ユア　シート イズ オーヴァー　ゼア

❺ It's an aisle seat.
イッツァン　アイル　シート

❻ It's a window seat.
イッツァ　ウィンドウ　シート

❼ Please fasten your seat belt.
プリーズ　ファースン　ユア　シート ベルト

❽ How many hours is it to Perth ?
ハウ　メニー　アワーズ イズ イット トゥ　パース

❾ How much longer does it take to get to New York ?
ハウ　マッチ　ロンガー　ダズ イット テイク トゥ ゲットゥ　ニュー　ヨーク

❿ Chicken or fish ?
チキン　オア フィッシュ

⓫ Chicken, please.
チキン　プリーズ

⓬ Would you like something to drink ?
ウッジュー　ライク　サムシン(グ)　トゥ ドリンク

⑬　お茶をいただけますか？
　　＊コップなどの容器に入れて出される飲み物には some をつけます．

⑭　セブンアップをもらえますか？
　　＊カンや瓶で出される飲み物には冠詞をつけます．

⑮　コーヒーをもらえますか？

⑯　クリームと砂糖はご入用ですか？

⑰　コーヒを4ついただけますか？
　　＊注文する時は複数形になります．

⑱　緑茶はありますか？

⑲　ワインはお飲みになられますか？
　　＊care for（＝like）：…が好きである．普通は，否定文や疑問文で使われます．

⑳　はいお願いします．

㉑　いいえけっこうです．

㉒　赤ワインはありますか？

㉓　白ワインをもう1杯いただけますか？

㉔　毛布をもう1枚いただけますか？

㉕　日本語の雑誌はありますか？

⑬ May I have some tea ?
　　メーアイ　ハヴ　サム　ティー

⑭ May I have a Seven-Up, please ?
　　メーアイ　ハヴァ　セヴンナッ(プ)　プリーズ

⑮ May I have some coffee ?
　　メーアイ　ハヴ　サム　コフィー

⑯ With cream and sugar ?
　　ウィ(ズ)　クリーム　アン(ド)　シュガー

⑰ May I have four coffees ?
　　メーアイ　ハヴ　フォー　コフィーズ

⑱ Do you have some green tea ?
　　ドゥ　ユー　ハヴ　サム　グリーン　ティー

⑲ Would you care for some wine ?
　　ウッジュー　ケア　フォー　サム　ワイン

⑳ Yes, please.
　　イエス　プリーズ

㉑ I'm fine. Thank you.
　　アイム　ファイン　サンキュー

㉒ Do you have some red wine ?
　　ドゥ　ユー　ハヴ　サム　レッ(ド)　ワイン

㉓ May I have another glass of white wine ?
　　メーアイ　ハヴ　アナザー　グラス　オヴ　ワイト　ワイン

㉔ May I have another blanket ?
　　メーアイ　ハヴ　アナザー　ブランケット

㉕ Do you have any Japanese magazines ?
　　ドゥ　ユー　ハヴ　エニー　ジャパニーズ　マガジーンズ

入国審査・税関

❶ パスポートを見せていただけますか？

❷ はいこれです．

❸ アメリカにはどれくらい滞在する予定ですか？

❹ 2週間です．

❺ 旅行の目的は何ですか？

❻ 観光です．
　＊短くSightseeing. とだけ答えても構いません．

❼ 仕事です．

❽ 休暇です．

❾ 友達に会うためです．

❿ 英語を勉強するためです．

⓫ ニュージーランドではどこに宿泊されますか？

⓬ ホストファミリーの家に泊まります．
　＊stay with... : …の家に泊まる．

① May I see your passport ?

② Here you are.

③ How long are you going to stay in the States ?

④ Two weeks.

⑤ What's the purpose of your visit ?

⑥ I'm here for sightseeing.

⑦ I'm here on business.

⑧ I'm here on vacation.

⑨ I'm here to visit my friends.

⑩ I'm here to study English.

⑪ Where are you going to stay in New Zealand ?

⑫ I'm going to stay with my host family.

⑬　帰りのチケットはお持ちですか？

⑭　所持金はいくらですか？

⑮　トラベラーズチェックで4,000ドルです．

⑯　パスポートと税関申告書を見せていただけますか？

⑰　申告する物は何かありますか？
　　＊ declare：申告する．

⑱　何もありません．

⑲　はい，タバコが10カートンあります．

⑳　スーツケースを開けていただけますか？

⑬ Do you have a return ticket?
　ドゥ　ユー　ハヴァ　リターン　ティケット

⑭ How much money do you have with you?
　ハウ　マッチ　マニー　ドゥ　ユー　ハヴ　ウィ(ズ)　ユー

⑮ I have $ 4,000 in traveler's checks.
　アイ　ハヴ　フォーサウザンドダラーズ　イン　トラヴェラーズ　チェックス

⑯ May I see your passport and customs form, please?
　メーアイ　シー　ユア　パスポート　アン(ド)　カスタムズ　フォーム　プリーズ

⑰ Do you have anything to declare?
　ドゥ　ユー　ハヴ　エニシン(グ)　トゥ　デクレア

⑱ No, nothing.
　ノウ　ノッシン(グ)

⑲ Yes, I have ten cartons of cigarettes.
　イエス　アイ　ハヴ　テン　カートゥンズ　オブ　シガレッツ

⑳ Will you open your suitcase, please?
　ウィル　ユー　オウプン　ユア　スー(ト)ケース　プリーズ

乗り物

《バス》

❶ すみません．近くにバス停はありますか？

❷ すみません．近くにバスターミナルはありますか？

❸ すみません．切符売り場はどこですか？

❹ シカゴまで1枚ください．

❺ このバスはケネディー国際空港に行きますか？

❻ このバスはスタンリー公園に停まりますか？

❼ どのバスがチャイナタウンに行きますか？

❽ 13番のバスに乗りなさい．

❾ バスは何分おきに来ますか？

❿ バスは20分おきに来ます．

⓫ 次のバスは何時に出ますか？

⓬ 次のバスは4時10分です．

① Excuse me. Is there a bus stop nearby ?

② Excuse me. Is there a bus terminal nearby ?

③ Excuse me. Where's the ticket office ?

④ One for Chicago, please.

⑤ Does this bus go to Kennedy International Airport ?

⑥ Does this bus stop at Stanley Park ?

⑦ Which bus goes to Chinatown ?

⑧ Take the No.13 bus.

⑨ How often does the bus run ?

⑩ The bus runs every twenty minutes.

⑪ What time does the next bus leave ?

⑫ The next bus is at 4:10.

⓭　乗り換え切符をください.
　　＊ バスに乗る時に運転手に言えば，乗り換え切符をくれます．これがあれば新たに切符を買わなくても別の路線のバスに乗り継ぐことができます．

⓮　途中で乗り換えなければいけませんか？

⓯　降りる時になったら教えていただけますか？
　　＊ あらかじめ運転手に頼んでおけば安心です．

⑬ Transfer.
トランスファー

⑭ Do I need to transfer?
ドゥ アイ ニード トゥ トランスファー

⑮ Could you tell me when to get off?
クッジュー テル ミー ウェン トゥ ゲロッフ

《タクシー》

❶ すみません．この辺りにタクシー乗り場はありますか？

❷ A： どちらまでですか？

　B： メトロポリタン博物館までです．

❸ 南カルフォルニア大学までお願いします．

❹ どれくらい時間がかかりますか？

❺ ここで止めてください．

❻ いくらですか？
　＊ What's the fare ? という言い方もあります．
　　　ワッツ　ザ　フェアー

❼ 3ドルお釣りをください．

❽ お釣りはとっておいてください．

1. Excuse me. Is there a taxi stand near here?

2. A: Where to, sir?

   B: The Metropolitan Museum, please.

3. Would you take me to the University of Southern California?

4. How long does it take?

5. Stop here, please.

6. How much is it?

7. Give me $ 3.00 change, please.

8. Keep the change.

《電車》

❶ ボストン行きの電車はどれですか？

❷ エドモントンに行くにはどの電車に乗ったらいいのですか？

❸ この電車でタイムズ・スクウェアに行けますか？

❹ トロントへはこの電車でいいんですか？
   * 車内で尋ねる表現です.

❺ 乗り間違えていますよ.

❻ 18番線の電車に乗ってください.

❼ ここからバンフまで駅はいくつありますか？

❽ どこで乗り換えたらいいですか？

❾ ウエスト駅で黄色い電車に乗り換えてください.

❿ すみません. この席空いていますか？

❶ Which train goes to Boston ?
   ウィッチ　トレイン　ゴウズ　トゥ　ボストン

❷ Which train should I take to get to Edmonton ?
   ウィッチ　トレイン　シュド　アイ テイク　トゥ　ゲットゥ　エッドモントン

❸ Can I go to Times Square on this train ?
   キャナイ　ゴウ トゥ　タイムズ　スクエア　オン ジィス トレイン

❹ Am I on the right train for Toronto ?
   アム アイ オン　ザ　ライト　トレイン フォー　トロント

❺ I'm afraid you are on the wrong train.
   アイム アフレイド　ユー　アー　オン　ザ　ロング　トレイン

❻ Take the train from track 18.
   テイク　ザ　トレイン　フロム　トラック エイティーン

❼ How many stops is it from here to Banff ?
   ハウ　メニー　ストップス イズ イット フロム　ヒア　トゥ　バンフ

❽ Where should I change trains ?
   ウェア　シュド　アイ チェインジ　トレインズ

❾ Change to the yellow train at West Station.
   チェインジ　トゥ　ザ　イエロウ　トレイン アット ウェスト ステイション

❿ Pardon me. Is this seat taken ?
   パードゥン　ミー　イズ ジィス　シート　テイクン

185

ホテル

❶ 今晩,部屋を予約したいのですが.

❷ 今晩,部屋は空いていますか?

❸ シングルですかダブルですか?

❹ シングルの部屋をお願いします.

❺ ダブルの部屋をお願いします.

❻ ツインの部屋はありますか?

❼ 料金はいくらですか?

❽ 1泊いくらですか?

❾ 1泊65ドルです.

❿ もう少し安い部屋はありますか?

⓫ 何泊されますか?

⓬ シングルの部屋を3泊予約したいのですが.

① I'd like a room for tonight.
アイド ライカ ルーム フォー トゥナイ(ト)

② Do you have any vacancies for tonight ?
ドゥ ユー ハヴ エニー ヴェイカンシーズ フォー トゥナイ(ト)

③ Single or double ?
シングル オア ダブル

④ I'd like a single room.
アイド ライカ シングル ルーム

⑤ I'd like a double room.
アイド ライカ ダブル ルーム

⑥ Do you have a twin room ?
ドゥ ユー ハヴァ トゥイン ルーム

⑦ What's the rate ?
ワッツ ザ レイト

⑧ How much is it for a night ?
ハウ マッチ イズ イット フォーア ナイ(ト)

⑨ Sixty-five dollars a night, sir.
シックスティーファイヴ ダラーズ ア ナイ(ト) サー

⑩ Do you have a less expensive room ?
ドゥ ユー ハヴァ レス エクスペンシヴ ルーム

⑪ How long are you going to stay ?
ハウ ロン(グ) アー ユー ゴウイン(グ) トゥ ステイ

⑫ I'd like to reserve a single room for three
アイド ライク トゥ リザーヴ ア シングル ルーム フォー スリー

nights.
ナイツ

⑬　チェックインしたいのですが．

⑭　お名前は？

⑮　黒木といいます．予約してあります．

⑯　この宿泊カードに記入していただけますか？

⑰　貴重品を預かっていただけますか？
　　＊valuables：貴重品．"s"を落とさないように注意しましょう．

⑱　部屋に案内していただけますか？

⑲　はい，チップです．

⑳　フロントです．何かご用ですか？

㉑　明日の朝6時半にモーニングコールをお願いできますか？

㉒　朝食は何時ですか？

㉓　テレビが故障しています．誰かよこしていただけますか？

㉔　チェックアウトは何時ですか？

⑬ I'd like to check in, please.

⑭ May I have your name?

⑮ My name is Kuroki. I have a reservation.

⑯ Will you fill out this form, please?

⑰ Can you keep my valuables for me?

⑱ Would you mind showing me to my room?

⑲ Here's your tip.

⑳ Front desk. May I help you?

㉑ Can I have a wake-up call at 6:30 tomorrow morning?

㉒ What time do you serve breakfast?

㉓ The TV doesn't work. Could you send someone up?

㉔ What's the check-out time?

㉕　ルームサービスです．何かご用ですか？

㉖　白ワインを2杯持ってきていただけますか？

㉗　急いでお願いできますか？

㉘　部屋に鍵を置いたままドアを閉めてしまいました．
　　＊ lock：鍵をかける

㉙　タクシーを呼んでいただけますか？

㉚　チェックアウトします．

㉕ Room service. May I help you ?
　　ルーム　　サーヴス　　メーアイ　ヘルプ　ユー

㉖ Would you bring two glasses of white wine ?
　　ウッジュー　　ブリング　トゥー　グラシズ　オブ　ホワイト　ワイン

㉗ Could you make it quick ?
　　クッジュー　　メイク　イット　クイック

㉘ I locked myself out of my room.
　　アイ　ロックト　マイセルフ　アウト　オブ　マイ　ルーム

㉙ Would you call a taxi for me ?
　　ウッジュー　　コーラ　タクシー　フォー　ミー

㉚ I'm checking out.
　　アイム　　チェッキンガウ(ト)

191

ショッピング

❶ 今日の午後, ダウンタウンへ買い物に行きましょう.

❷ 今日の午後, ダウンタウンで買い物をしましょう.
   * do shopping とは言わないことに注意しましょう.
     some 以外には, the, a lot of などの語句がきます.

❸ 近くにギフトショップはありますか？
   * お店の種類

   $$\begin{bmatrix} \text{boutique (ブティック)} / \text{department store} \\ \text{(デパート)} / \text{discount shop (安売り店)} / \text{drugstore} \\ \text{(ドラッグストア)} / \text{flower shop (花屋)} / \text{liquor} \\ \text{store (酒屋)} / \text{shoe store (靴屋)} \end{bmatrix}$$

❹ 化粧品売り場はどこですか？

❺ 12階です.

❻ いらっしゃいませ.

❼ 見てるだけです.

❽ ご用は承っておりますか？

❾ Tシャツを見たいのですが.

❿ ブラウスを探しています.

① Let's go shopping downtown this afternoon.
　レッツ　ゴウ　ショッピン(グ)　ダウンタウン　ジィス　アフタヌーン

② Let's do some shopping downtown this afternoon.
　レッツ　ドゥー　サム　ショッピン(グ)　ダウンタウン　ジィス　アフタヌーン

③ Is there a gift shop nearby ?
　イズ　ゼア　ア　ギフト　ショップ　ニアバイ

④ Where is the cosmetics department ?
　ウェア　イズ　ザ　コズメティックス　デパートメント

⑤ It's on the twelfth floor.
　イッツ　オン　ザ　トゥエルフス　フロア

⑥ May I help you ?
　メーアイ　ヘルプ　ユー

⑦ I'm just looking.
　アイム　ジャスト　ルッキン(グ)

⑧ Are you being helped ?
　アー　ユー　ビーイング　ヘルプト

⑨ I'd like to see some T-shirts.
　アイド　ライク　トゥ　シー　サム　ティーシャーツ

⑩ I'm looking for a blouse.
　アイム　ルッキン(グ)　フォー　ア　ブラウス

⑪ ご予算はどれくらいですか？
   ＊have... in mind：…のことを考えている．

⑫ 150ドルまでです．

⑬ サイズはおいくつですか？

⑭ サイズはわかりません．計っていただけますか？

⑮ これはいかがでしょうか？

⑯ これと同じで白いのはありますか？
   ＊色

$$\begin{bmatrix} \text{white（白）／black（黒）／gray／grey（灰色）／blue} \\ \text{（青）／red（赤）／green（緑）／purple（紫）／violet} \\ \text{（すみれ色）／indigo（藍色）／orange（オレンジ色）／} \\ \text{vermilion（朱色）／emerald green（エメラルドグ} \\ \text{リーン《鮮緑色》）／gold（金）／silver（銀）／beige} \\ \text{（ベージュ）／brown（茶色）／dark brown（こげ} \\ \text{茶色）／reddish brown（あずき色）／ivory white} \\ \text{（象牙色）／bronze（ブロンズ）／pink（ピンク）／} \\ \text{salmon pink（サーモンピンク）} \end{bmatrix}$$

⑰ この青いのはどうですか？

⑱ これを試着してもいいですか？
   ＊try on：試着する．

⑲ 試着室はあちらでございます．

⑪ What price range do you have in mind ?

⑫ I can spend up to $ 150.

⑬ What size are you ?

⑭ I don't know my size. Would you mind measuring me ?

⑮ How about this one ?

⑯ Do you have this in white ?

⑰ How do you like this blue one ?

⑱ May I try this on ?

⑲ The fitting room is over there.

⑳　もう少し小さいのはありますか？

㉑　もう少し大きいのはありますか？

㉒　もう少し小さいサイズを試着したいです．

㉓　もう少し安いのはありますか？

㉔　これもらいます．

㉕　これはいくらですか？

㉖　全部でいくらになりますか？

㉗　支払いはいくらになりますか？
　　＊owe：支払い義務がある，借りがある．

㉘　これを値引きしていただけますか？

㉙　85ドルでどうですか？

㉚　もう少し安くしていただけますか？

㉛　3つで45ドルではどうですか？

㉜　3割引きましょう．
　　＊knock off：（値段を）まける．

㉝　現金ですか，クレジットカードですか？

⑳ Do you have a smaller one ?
ドゥ ユー ハヴァ スモーラー ワン

㉑ Do you have a bigger one ?
ドゥ ユー ハヴァ ビッガー ワン

㉒ I'd like to try on a smaller size.
アイド ライク トゥトライ オンナ スモーラー サイズ

㉓ Do you have a less expensive one ?
ドゥ ユー ハヴァ レス エクスペンシブ ワン

㉔ I'll take this.
アイル テイク ジィス

㉕ How much is this ?
ハウ マッチ イズ ジィス

㉖ How much is it altogether ?
ハウ マッチ イズ イット オー(ル)トゥゲザー

㉗ How much do I owe you ?
ハウ マッチ ドゥアイ オウ ユー

㉘ Can you give me a discount on this ?
キャニュー ギヴ ミー ア ディスカウント オン ジィス

㉙ How about $ 85 ?
ハウ アバウト エイティーファイヴダラーズ

㉚ Can you make it cheaper ?
キャニュー メイキット チーパー

㉛ How about three for $ 45 ?
ハウ アバウト スリー フォー フォーティーファイヴダラーズ

㉜ I'll knock thirty percent off.
アイル ノック サーティー パーセント オフ

㉝ Will that be cash or charge ?
ウィル ザット ビー キャッシュ オア チャージ

食事

❶ どんな料理が好きですか？

❷ 私は中華料理が好きです．

❸ 私は韓国料理が好きです．

❹ 私は和食が好きです．

❺ メキシコ料理とフランス料理ではどちらが好きですか？

❻ 私はフランス料理より中華料理の方が好きです．

❼ あなたは食べ物の好き嫌いはありますか？

❽ 私は脂っこい食べ物が大好きです．

❾ いらっしゃいませ．何名様ですか？

❿ 3人です．
 ＊人数を数字で答えます．

⓫ 喫煙席ですか，禁煙席ですか？

⓬ 喫煙席をお願いします．

⓭ 禁煙席をお願いします．

❶ What kind of food do you like ?

❷ I like Chinese food.

❸ I like Korean food.

❹ I like Japanese food.

❺ Which do you prefer, Mexican food or French food ?

❻ I prefer Chinese food to French food.

❼ Do you have any likes and dislikes in food ?

❽ I love oily foods.

❾ Good evening. How many people ?

❿ Three.

⓫ Smoking or non-smoking ?

⓬ Smoking, please.

⓭ Non-smoking, please.

⑭　禁煙コーナーの席をお願いできますか？

⑮　窓側の席にしていただけますか？

⑯　こちらへどうぞ．

⑰　お席でございます．

⑱　メニューをどうぞ．

⑲　ご注文はお決まりですか？
* May I (メーアイ) / Can I (キャナイ) | take your order ? (テイクユア オーダー) も使えます．

⑳　今日のおすすめ料理は何ですか？

㉑　ポーチトサーモンがおすすめですよ．

㉒　スパゲティーとクラムチャウダーをもらいます．

㉓　サーロインステーキとシーザーサラダをもらいます．

㉔　ステーキの焼き具合はどうされますか？

㉕　レアでお願いします．

㉖　ミディアムでお願いします．

㉗　ウェルダンでお願いします．

⑭ Can we have a table in the non-smoking section ?

⑮ Can we have a table by the window ?

⑯ This way, please.

⑰ Here's your table.

⑱ Here's your menu.

⑲ Are you ready to order ?

⑳ What's today's special ?

㉑ Poached salmon would be nice.

㉒ I'll have spaghetti and clam chowder.

㉓ I'll have a sirloin steak and Caeser salad.

㉔ How would you like your steak done ?

㉕ Rare, please.

㉖ Medium, please.

㉗ Well-done, please.

㉘ サラダのドレッシングは何がよろしいですか？

㉙ イタリアンにしてください．

㉚ お飲み物は何になさいますか？

㉛ 赤ワインを2つください．

㉜ ビールは何になさいますか？

㉝ ブランディーをもう少しいただけますか？

㉞ 注文がまだ来ていません．

㉟ これは注文と違います．

㊱ ご満足いただいておりますか？
　　＊ How's everything ? も使えます．
　　　　ハウズ　　エヴリシン(グ)
㊲ デザートはいかがですか？

㊳ メープルシッロプアイスクリームをもらいます．

㊴ お腹いっぱいです．

㊵ お勘定をお願いします．

㉘ What kind of dressing would you like on your salad ?

㉙ Italian, please.

㉚ What would you like to drink ?

㉛ Two glasses of red wine, please.

㉜ What kind of beer would you like ?

㉝ May I have some more brandy ?

㉞ My order has not come yet.

㉟ This is not what I ordered.

㊱ Is everything all right ?

㊲ Would you care for some dessert ?

㊳ I'll have maple syrup ice cream.

㊴ I'm full.

㊵ May I have my bill ?

道を尋ねる

❶ すみません，おまわりさん．道に迷ってしまいました．

❷ ここはどこですか？

❸ この地図ではどこにいますか？

❹ この住所へはどうやって行ったらいいのか教えていただけませんか？

❺ 最寄りの地下鉄の駅はどこか教えていただけませんか？

❻ 最寄りの地下鉄の駅へ行く道を教えていただけませんか？

❼ ユニオン・スクウェアはどちらへ行ったらいいのですか？

❽ ユニオン・スクウェアはどうやって行ったらいいのですか？

❾ ヒルトンホテルはこの道でいいのですか？

❿ バート美術館への道順を教えていただけませんか？

① Excuse me, officer. I'm lost.

② Where am I ?

③ Where am I on this map ?

④ Could you tell me how to get to this address ?

⑤ Could you tell me where the nearest subway station is ?

⑥ Could you tell me the way to the nearest subway station ?

⑦ Which way is Union Square ?

⑧ How do I get to Union Square ?

⑨ Is this the way to the Hilton Hotel ?

⑩ Could you give me directions to the Bart Art Gallery ?

⑪ ジョンソン病院を探しているのですが.

⑫ クウィーン駅はここから遠いですか？

⑬ ここからエンパイアステートビルまでどれくらい離れていますか？

⑭ オンタリオ公園へは歩いて行けますか？

⑮ そこは歩いて行ける範囲内ですか？

⑯ すみません，この辺りは私も初めてです.

⑰ この道を5ブロック行って左に曲がってください.

⑱ この道を約2マイル行ってください.

⑲ 次の角を右に曲がってください.

⑳ それは左の角にあります.

㉑ それは角の8階建ての白いビルです.

㉒ それは花屋の真向かいにあります.

㉓ それはリード銀行の近くです.

⑪ I'm looking for Johnson Hospital.
アイム ルッキン(グ) フォー ジョンソン ホスピタル

⑫ Is Queen Station far from here ?
イズ クィーン ステイション ファー フロム ヒア

⑬ How far is the Empire State Building from here ?
ハウ ファー イズ ジ エンパイアー ステイト ビルディン(グ) フロム ヒア

⑭ Can I walk to Ontario Park ?
キャナイ ウォーク トゥ オンタリオ パーク

⑮ Is it within walking distance ?
イズィッ ウィズイン ウォーキン(グ) ディスタンス

⑯ Sorry, I'm also a stranger around here.
ソーリー アイム オールソーア ストレンジャー アラウンド ヒア

⑰ Go down this street for five blocks and turn left.
ゴウ ダウン ジィス ストリート フォー ファイヴ ブロックス アン(ド) ターン レフト

⑱ Go down this street for about two miles.
ゴウ ダウン ジィス ストリート フォー アバウトゥー マイルズ

⑲ Turn right at the next corner.
ターン ライト アット ザ ネクスト コーナー

⑳ It's on the corner on your left.
イッツォン ザ コーナー オンニュア レフト

㉑ It's an eight-story white building on the corner.
イッツァン エイトストーリー ワイト ビルディン(グ) オン ザ コーナー

㉒ It's right across from the flower shop.
イッツ ライト アクロス フロム ザ フラワー ショッ(プ)

㉓ It's close to Leed Bank.
イッツ クロウス トゥ リード バンク

207

㉔ それはマクドナルドの隣です.

㉕ マンチェスターホテルはミシガン通りに面しています.

㉖ 必ず見つかります.

㉗ 地図を書いてもらえますか?

㉘ 地図を書いてあげます.

㉙ そこに行くにはどれくらい時間がかかりますか?

㉚ 10分かからないでしょう.

㉛ 10分くらいかかるでしょう.

㉜ ここからわずか10分です.

㉝ ここから歩いて10分です.

㉞ ここから車で10分です.

㉟ ここからタクシーで約20分です.

㉔ It's next to McDonald's.
　　イッツ　ネクストゥ　　　マクドーナルズ

㉕ The Manchester Hotel is on Michigan Street.
　　ザ　　マンチェスター　　ホテル　イズ オン　　ミシガン　　　ストリート

㉖ You can't miss it.
　　ユー　キャント　ミスィッ(ト)

㉗ Could you draw a map for me ?
　　クッジュー　　　ドゥロー　ア　マップ　フォー　ミー

㉘ I'll draw you a map.
　　アイル　ドゥロウ　ユー　ア　マップ

㉙ How long will it take to get there ?
　　ハウ　　ロン(グ)　ウィル イット テイク　トゥ　ゲット　　ゼア

㉚ It'll take less than ten minutes.
　　イトゥル　テイク　　レス　　ザン　　テン　　ミニュッツ

㉛ It'll take about ten minutes.
　　イトゥル　テイク　　アバウテン　　　ミニュッツ

㉜ It's only ten minutes from here.
　　イッツ オンリー　テン　　ミニュッツ　　フロム　　ヒア

㉝ It's a ten-minute walk from here.
　　イッツァ　　テンミニッ(ト)　ウォーク　フロム　　ヒア

㉞ It's a ten-minute drive from here.
　　イッツァ　　テンミニッ(ト)　ドライヴ　フロム　　ヒア

㉟ It'll take about twenty minutes by taxi.
　　イトゥル　テイク　　アバウトゥエンティー　　ミニッツ　　バイ タクシー

銀行

❶ 普通預金の口座を開きたいのですが.

❷ 当座預金の口座を開きたいのですが.

❸ この申し込み用紙に記入していただけますか？
  * fill out：記入する.

❹ 身分証明書をお見せいただけますか？

❺ パスポートでいいですか？

❻ 1,500ドル預金したいのですが.

❼ 普通預金に3,000ドル入れたいのですが.

❽ 当座預金に5,500ドル入れたいのですが.

❾ 800ドルおろしたいのですが.

❿ 口座を解約したいのですが.

⓫ アメリカへ25,000ドル送金したいのですが.

⓬ 今日の交換レートはいくらですか？

① I'd like to open a savings account.
アイド ライク トゥ オウプンナ セイヴィングズ アカウント

② I'd like to open a checking account.
アイド ライク トゥ オウプンナ チェッキング アカウント

③ Will you fill out this form, please ?
ウィル ユー フィル アウト ジィス フォーム プリーズ

④ Would you show me some identification ?
ウッジュー ショウ ミー サム アイデンティフィケイション

⑤ Is my passport OK ?
イズ マイ パスポート オウケイ

⑥ I'd like to deposit 1,500 dollars.
アイド ライク トゥ ディポジット ワンサウザンドファイヴハンドレッド ダラーズ

⑦ I'd like to deposit 3,000 dollars into my savings account.
アイド ライク トゥ ディポジット スリーサウザンドダラーズ イントゥ マイ セイヴィングズ アカウント

⑧ I'd like to deposit 5,500 dollars into my checking account.
アイド ライク トゥ ディポジット ファイブサウザンドファイヴハンドレッド ダラーズ イントゥ マイ チェッキング アカウント

⑨ I'd like to withdraw 800 dollars.
アイド ライク トゥ ウィズドゥロー エイトハンドレッド ダラーズ

⑩ I'd like to close my account.
アイド ライク トゥ クロウズ マイ アカウント

⑪ I'd like to send 25,000 dollars to the Unites States.
アイド ライク トゥ センド トゥエンティーファイブサウザンドダラーズ トゥ ザ ユナイテッド ステイツ

⑫ What's today's exchange rate ?
ワッツ トゥデイズ エクスチェンジ レイト

⑬　今日の円とドルの交換レートはいくらですか？

⑭　1ドル110円です．

⑮　このトラベラーズチェックを現金に換えたいのですが．

⑯　7番窓口へ行ってください．

⑰　いくら現金にお換えになりますか？
　　＊cash：現金代する．

⑱　お金の内訳はどのようにされますか？

⑲　10ドル札5枚，5ドル札7枚でお願いします．
　　＊複数形になることに注意しましょう．

⑳　100ドル札を20ドル5枚に換えていただけますか？

㉑　これを細かく両替してください．

㉒　ここで円をドルに換えることができますか？

㉓　日本円をドルに換えたいのですが．

㉔　この3,000ドルの小切手を現金に換えたいのですが．

㉕　ここにサインしていただけますか？

⑬ What's today's yen-dollar exchange rate ?

⑭ 110 yen to the dollar.

⑮ I'd like to cash this traveler's check.

⑯ Please go to Window 7.

⑰ How much would you like to cash ?

⑱ How would you like your money ?

⑲ Five tens and seven fives, please.

⑳ Could you give me five twenty-dollar bills for a hundred-dollar bill ?

㉑ Please break this into small change.

㉒ Can I exchange yen into dollars here ?

㉓ I'd like to change some Japanese yen into dollars.

㉔ I'd like to cash this 3,000-dollar check.

㉕ Would you sign your name here ?

電話

❶ 電話を貸していただけますか？

❷ もしもし，ポーターさんのお宅ですか？
   * residence の代わりに home も使えます．

❸ もしもし，小百合さんいますか？
   * Is... there ? で覚えましょう．

❹ もしもし，カレンさんをお願いしたいのですが．
   * 次の表現も使われます．

   Can I speak to Karen ?
   キャナイ　スピーク　トゥ　キャレン
   Can I talk to Karen ?
   キャナイ　トーク　トゥ　キャレン
   Could I speak to Karen ?
   クッド　アイ　スピーク　トゥ　キャレン
   I'd like to speak to Karen.
   アイド　ライク　トゥ　スピーク　トゥ　キャレン

❺ そちらはスプリングスホテルですか？

❻ そちらはハート商会ですか？

❼ そちらは3291－1676ですか？

❽ もしもし，ラリー・ロンビソンと申します．ワシントンさんはおいでになりますか？

❾ ブラウンさんをお願いします．

❿ どちら様でしょうか？

① May I use your phone ?

② Hello. Is this Mr. Porter's residence ?

③ Hello. Is Sayuri there ?

④ Hello. May I speak to Karen, please ?

⑤ Is this the Springs Hotel ?

⑥ Is this Heart, Inc. ?

⑦ Is this 3291-1676 ?

⑧ Hello. This is Larry Robinson. May I speak to Mr. Washington, please ?

⑨ I'm calling for Mr. Brown.

⑩ Who's calling, please ?

⑪　はい，私です．
　　＊ 本人が電話を受けた時の言い方です．本人が男性なら he，女性なら she を用いて次のように言うこともできます．

This is he.
ジィス　イズ　ヒー
This is he speaking.
ジィス　イズ　ヒー　　スピーキン(グ)
This is she.
ジィス　イズ　シー
This is she speaking.
ジィス　イズ　シー　　スピーキン(グ)

⑫　彼は今外出しています．

⑬　彼は今日は休んでおります．

⑭　彼はただ今外出中です．

⑮　彼は席をはずしております．

⑯　彼は会議中です．

⑰　彼は別の電話に出ております．

⑱　彼は出張中です．

⑲　彼は今ちょっと手が離せません．

⑪ Speaking.
　スピーキン(グ)

⑫ He's out now.
　ヒーズ　アウト　ナウ

⑬ He's off today.
　ヒーズ　オフ　トゥデイ

⑭ He's out of the office now.
　ヒーズ　アウト　オヴ　ジ　オフィス　ナウ

⑮ He's away from his desk.
　ヒーザウェイ　フロム　ヒズ　デスク

⑯ He's in a meeting.
　ヒーズ　インナ　ミーティン(グ)

⑰ He's on another line.
　ヒーズ　オン　アナザー　ライン

⑱ He's out of town.
　ヒーズ　アウト　オヴ　タウン

⑲ He's tied up at the moment.
　ヒーズ　タイダップ　アット　ザ　モウメント

⑳　彼はただ今昼食に出ております.

㉑　ちょっとお待ちください.
　　＊次のような表現もあります.
　　　Hold on a minute, please.
　　　　ホウルド　オンナ　ミニット　プリーズ
　　　Hold the line, please.
　　　　ホウルド　ザ　ライン　プリーズ
　　　Just a momemt, please.
　　　　ジャスタ　モウメント　プリーズ
　　　One moment, please.
　　　　ワン　モウメント　プリーズ

㉒　どのようなご用件でしょうか？
　　＊regarding：…について.

㉓　何か伝言なさいますか？

㉔　何か伝言をいたしましょうか？

㉕　伝言をお願いできますか？

㉖　ジョン・ウイリアムズから電話があったと彼女に伝えていただけますか？

㉗　彼に私に電話するように伝えていただけますか？

㉘　彼に私の携帯電話に電話するように伝えていただけますか？

㉙　20分後にかけ直します.
　　＊call back：後で（折り返し）電話する.

⑳ He's out for lunch at the moment.
ヒーズ　アウトフォー　ランチ　アット　ザ　モウメント

㉑ Hold on please.
ホウルド　オン　プリーズ

㉒ Can I ask what this is regarding ?
キャナイ　アスク　ワッ(ト)　ジィス　イズ　リガーディン(グ)

㉓ Would you like to leave a message ?
ウッジュー　ライク　トゥ　リーヴァ　メッセージ

㉔ May I take a message ?
メーアイ　テイカ　メッセージ

㉕ Can I leave a message ?
キャナイ　リーヴァ　メッセージ

㉖ Could you tell her that John Williams called ?
クッジュー　テラー　ザット　ジョン　ウィリアムズ　コールド

㉗ Could you tell him to call me ?
クッジュー　テリム　トゥ　コール　ミー

㉘ Could you tell him to call me on my cell phone ?
クッジュー　テリム　トゥ　コール　ミー　オン　マイ　セル　フォン

㉙ I'll call you back in twenty minutes.
アイル　コール　ユー　バック　イン トゥエンティー　ミニッツ

㉚　電話番号を教えていただけますか？

㉛　内線の2578をお願いします．

㉜　番号違いですよ．
　　＊ You've dialed the wrong number. も使えます．

㉝　何番におかけですか？

㉞　すみません．かけ間違えました．

㉟　ジャックという人はこちらにはおりません．

㊱　そういう名前の者はこちらにはおりません．

㊲　交換です．ご用件は？

㊳　日本にカナダに国際電話をかけたいのですが．
　　＊ make の代わりに，place も使われます．

㊴　オタワに長距離電話をかけたいのですが．

㊵　コレクトコールをかけたいのですが．

㊶　指名電話をかけたいのですが．

㊷　213－9527につないでいただけますか？

㉚ May I have your phone number, please?

㉛ Can I have extension 2578, please?

㉜ I'm afraid you have the wrong number.

㉝ What number are you calling?

㉞ Sorry. I've dialed the wrong number.

㉟ There's no Jack here.

㊱ We have no one here by that name.

㊲ Operator. May I help you?

㊳ I'd like to make an internatinal call to Canada.

㊴ I'd like to make a long-distance call to Ottawa.

㊵ I'd like to make a collect call.

㊶ I'd like to place a person-to-person call.

㊷ Would you connect me to 213-9527?

㊸ 人事部につないでいただけますか？

㊹ お話し中です．

㊺ 電話に出てくれませんか？
　　＊ 玄関に出るは，answer the door と言います．

㊻ 私が出ます．
　　＊ 玄関に出る時にも使える表現です．

㊼ あなたに電話ですよ．

㊽ お電話ありがとうございました．

㊸ Would you put me through to the Personnel Department?

㊹ The line is busy.

㊺ Will you answer the phone?

㊻ I'll get it.

㊼ You are wanted on the phone.

㊽ Thank you for calling.

レンタカー

❶ レンタカーを借りたいのですが.

❷ どんな車種がよろしいですか？

❸ 日本車を借りたいのですが.

❹ 小型車を借りたいのですが.

❺ オートマチック車とマニュアル車とどちらにされますか？

❻ どのくらいの期間借りられますか？

❼ 2週間レンタカーを借りたいのですが.

❽ 料金はいくらですか？

❾ 1日あたりの料金はいくらですか？

❿ 10日間の料金はいくらですか？

⓫ カルガリーで乗り捨てたいのですが.

⓬ 乗り捨て料金はいくらですか？
　＊ What's the drop-off charge？ も使えます.

❶ I'd like to rent a car.
アイド ライク トゥ レンタ カー

❷ What kind of car would you like ?
ワッ(ト) カインドォヴ カー ウッジュー ライク

❸ I'd like to rent a Japanese car.
アイド ライク トゥ レンタ ジャパニーズ カー

❹ I'd like to rent a compact car.
アイド ライク トゥ レンタ コンパクト カー

❺ Which would you prefer, automatic or manual ?
ウィッチ ウッジュー プリファー オートマチック オア マニュアル

❻ How long would you like to rent a car ?
ハウ ロン(グ) ウッジュー ライク トゥ レンタ カー

❼ I'd like to rent a car for two weeks.
アイド ライク トゥ レンタ カー フォー トゥー ウィークス

❽ How much is the rate ?
ハウ マッチ イズ ザ レイト

❾ How much is the rate per day ?
ハウ マッチ イズ ザ レイト パー デイ

❿ How much is the rate for ten days ?
ハウ マッチ イズ ザ レイト フォー テン デイズ

⓫ I'd like to leave the car in Calgary.
アイド ライク トゥ リーヴ ザ カー イン カルガリー

⓬ How much is the drop-off charge ?
ハウ マッチ イズ ザ ドロップオフ チャージ

⑬ あなたは車の運転をしますか？

⑭ あなたは車の運転がうまいですか？

⑮ 私は車の運転は慎重です．

⑯ A: あなたの車はどこのメーカーですか？
B: 日産です．
＊ make：型，（メーカーを示す）銘柄．

⑰ ガソリンがなくなってきたよ．
＊ We are running out of gas. も使えます．
ウィ　アー　ラニング　アウト オヴ ギャス

⑱ 満タンにしてください．

⑲ パンクしました．

⑳ バッテリーが上がってしまいました．

⑬ Do you drive?

⑭ Are you a good driver?

⑮ I'm a careful driver.

⑯ A: What make is your car?
   B: It's a Nissan.

⑰ We are getting low on gas.

⑱ Fill her up, please.

⑲ I have a flat tire.

⑳ The battery is dead.

体調

❶ 疲れた顔をしていますね.

❷ 顔色が悪いですね.

❸ どうかしたんですか？
　　＊次のような表現も使えます.
　　What's the matter ?
　　　ワッツ　　ザ　　マター
　　What's wrong ?
　　　ワッツ　　ロン(グ)
　　What's wrong with you ?
　　　ワッツ　　ロン(グ)　ウィ(ズ)　ユー
　　Is anything the matter ?
　　イズ　エニシン(グ)　ザ　マター

❹ 体調はいいですか？
　　＊Are you enjoying good health ? も使えます.
　　　アー　ユー　エンジョイン(グ)　グッド　ヘルス

❺ 気分が悪いです.
　　＊I feel under the weather. も使えます.
　　　アイフィール　アンダー　ザ　ウェザー

❻ 全身が疲れています.

❼ めまいがします.

❽ 寒気がします.

❾ どこが痛いですか？
　　＊「ここが痛いです」は It hurts here. と言います.

❿ 頭痛がします.

❶ You look tired.
ユー　ルック　タイアッド

❷ You look pale.
ユー　ルック　ペイル

❸ What's the matter with you ?
ワッツ　ザ　マター　ウィ(ズ)　ユー

❹ Are you in good condition ?
アー　ユー　イン　グッド　コンディション

❺ I feel sick.
アイ フィール　シック

❻ I feel tired all over.
アイ フィール　タイアッド オー(ル)オーヴァー

❼ I feel dizzy.
アイ フィール　ディジー

❽ I feel cold.
アイ フィール　コウルド

❾ Where does it hurt ?
ウェア　ダズ　イット ハート

❿ I have a headache.
アイ　ハヴァ　ヘデェイク

⓫　少し頭痛がします.

⓬　頭が割れるように痛いです.

⓭　目が痛いです.

⓮　耳が痛いです.

⓯　歯が痛いです.

⓰　のどが痛いです.

⓱　胸が痛いです.

⓲　腹が痛いです.

⓳　腰が痛いです.

⓴　脇腹が痛いです.

㉑　熱があります.
　　＊「熱っぽい」は I feel feverish. と言います.

㉒　微熱があります.

㉓　高熱があります.

⓫ I have a little headache.
　　アイ　ハヴァ　リトル　ヘデェイク

⓬ I have a splitting headache.
　　アイ　ハヴァ　スプリッティン(グ)　ヘデェイク

⓭ I have sore eyes.
　　アイ　ハヴ　ソア　アイズ

⓮ I have an earache.
　　アイ　ハヴァン　イアーエイク

⓯ I have a toothache.
　　アイ　ハヴァ　トゥースエイク

⓰ I have a sore throat.
　　アイ　ハヴァ　ソアー　スロウト

⓱ I have a pain in my chest.
　　アイ　ハヴァ　ペイン　イン　マイ　チェスト

⓲ I have a stomachache.
　　アイ　ハヴァ　ストマックエイク

⓳ I have lower back pain.
　　アイ　ハヴ　ロウアー　バック　ペイン

⓴ I have a pain in my side.
　　アイ　ハヴァ　ペイン　イン　マイ　サイド

㉑ I have a fever.
　　アイ　ハヴァ　フィーヴァー

㉒ I have a slight fever.
　　アイ　ハヴァ　スライト　フィーヴァー

㉓ I have a high fever.
　　アイ　ハヴァ　ハイ　フィーヴァー

㉔ A: 熱は何度ありますか？
    B: 38.5度です.

㉕ 風邪をひいたみたいです.
    * come down with...：(病気) にかかる.

㉖ 風邪をひいています.

㉗ ひどい風邪をひいています.
    * bad の代わりに severe も使えます.

㉘ 鼻水が出ます.

㉙ 鼻がつまっています.

㉚ 肩が凝っています.

㉛ 高血圧です.

㉜ 低血圧です.

㉝ 二日酔いです.

㉞ 生理中です.

㉟ 食欲がありません.

㊱ 食欲旺盛です.

㉔ A: What's your temperature now ?
　　B: 38.5 degrees.

㉕ I seem to be coming down with a cold.

㉖ I have a cold.

㉗ I have a bad cold.

㉘ I have a runny nose.

㉙ I have a stuffy nose.

㉚ I have stiff shoulders.

㉛ I have high blood pressure.

㉜ I have low blood pressure.

㉝ I have a hangover.

㉞ I have my period.

㉟ I have no appetite.

㊱ I have a good appetite.

㊲ 肝臓の調子がよくありません.

＊ something is wrong with...：…の具合が悪い.

㊳ 胃の調子がよくありません.

㊴ 心臓の調子がよくありません.

㊵ 私は抗生物質アレルギーです.

＊ allergic：アレルギー性の.

体の各部分の名称を覚えましょう.

[hair（髪）／head（頭）／forehead（額）／neck（首）／ear（耳）／eye（目）／nose（鼻）／cheek（頬）／mouth（口）／lips（唇）／shoulder（肩）／arm（腕）／hip（腰）／buttock（尻）／elbow（肘）／wrist（手首）／hand（手）／palm（手のひら）／finger（指）／thumb（親指）／nail（爪）／thigh（太もも）／leg（脚）／knee（ひざ）／shin（向こうずね）／ankle（足首）／foot（足）／toe（足の指）／heel（かかと）／sole（足裏）]

（ヘア／ヘッド／フォアーヘッド／ネック／イヤー／アイ／ノウズ／チーク／マウス／リップス／ショウルダー／アーム／ヒップ／バットック／エルボウ／リスト／ハャンド／パーム／フィンガー／サム／ネイル／サイ／レッグ／ニー／シン／アンクル／フット／トウ／ヒール／ソウル）

＊ head：首より上を指します.

＊ lip：口の上下を含む場合もあります.

＊ hip：腰の左右に出た部分の片方です．両方を意味する時は hips となります.

＊ buttock：腰掛けた時にいすに触れる肉の部分．臀部．複数形で用いられます.

㊲ Something is wrong with my liver.
　　サムシング　イズ　ロング　ウィズ　マイ　リヴァー

㊳ Something is wrong with my stomach.
　　サムシング　イズ　ロング　ウィズ　マイ　ストマック

㊴ Something is wrong with my heart.
　　サムシング　イズ　ロング　ウィズ　マイ　ハー(ト)

㊵ I'm allergic to antibiotics.
　　アイム　アーラジック　トゥ　アナイバイオティックス

トラブル

❶ 助けて！
　＊ 複数なら Help us！となります．

❷ 誰か助けて！

❸ 泥棒！

❹ 警察を呼んでください．

❺ 救急車を呼んでください．

❻ 弁護士を呼んでください．

❼ 日本大使館へ連れて行ってください．

❽ パスポートをなくしました．

❾ クレジットカードをなくしました．

❿ 財布を盗まれました．

⓫ 車を盗まれました．

⓬ バスにハンドバッグを忘れました．

⓭ 電車にノートパソコンを忘れました．

① Help me !
　ヘルプ ミー

② Somebody help me !
　サムバディ　ヘルプ ミー

③ Thief !
　シーフ

④ Please call the police.
　プリーズ コール ザ ポリース

⑤ Please call an ambulance.
　プリーズ コー(ル)アン アンビュランス

⑥ Please call a lawyer.
　プリーズ コー(ル)ア ロイヤー

⑦ Please take me to the Japanese Embassy.
　プリーズ テイク ミー トゥ ザ ジャパニーズ エンバシー

⑧ I've lost my passport.
　アイヴ ロスト マイ パスポート

⑨ I've lost my credit card.
　アイヴ ロスト マイ クレデット カード

⑩ Someone stole my wallet.
　サムワン ストウル マイ ウォレット

⑪ Someone stole my car.
　サムワン ストウル マイ カー

⑫ I left my handbag on the bus.
　アイ レフト マイ ハンドバッグ オン ザ バス

⑬ I left my notebook on the train.
　アイ レフト マイ ノウトブック オン ザ トレイン

⑭ 日本語が話せる人はいますか？

⑮ 伏せろ！

⑯ 気をつけろ！

⑰ ここから逃げろ！

⑱ あっちへ行け！
　　＊ 人を追っ払う時に使います．

⑲ ほっといてくれ！

⑳ 火事だ！

⑭ Is there someone who can speak Japanese ?
イズ ゼア サムワン フー キャン スピーク ジャパニーズ

⑮ Get down !
ゲッダウン

⑯ Watch out !
ウォッチャウ(ト)

⑰ Get out of here !
ケッタウトオヴ ヒア

⑱ Go away !
ゴウ アウェイ

⑲ Leave me alone !
リーヴ ミー アロウン

⑳ Fire !
ファイアー

著者略歴

船田　秀佳（ふなだ　しゅうけい）
1956年岐阜県生まれ。
東京外国語大学外国語学部中国語学科卒業。
カリフォルニア州立大学大学院言語学科修了。
東京外国語大学大学院地域研究研究科修了。
現在、名城大学教授。岐阜大学講師。

主要著書・論文

『英語で覚える中国語基本単語1000　品詞別編』
(駿河台出版社)
『中学英語でペラペラ中国語』(駿河台出版社)
『英語がわかれば中国語はできる』(駿河台出版社)
『2週間ですぐに話せる中国語』(駿河台出版社)
『英語感覚の磨き方』(鷹書房弓プレス)
Drills for Listening and Dictation Ⅰ, Ⅱ (鷹書房弓プレス)
Useful Dialogs for Students (鷹書房弓プレス)
10-Minute Grammar Drills for the TOEIC® Test (英潮社)
"Japanese Philosophy and General Semantics"
(*ETC: A Review of General Semantics, U.S.A.*)
"Homological Aspects of Language and Logic in
Intercultural Communication" (*General Semantics Bulletin, U.S.A.*)

迷わず話せる英会話フレーズ集
CD，カタカナ発音付

2006.6.15 初版発行　　2011.7.15 2刷発行	
著　者	船　田　秀　佳
発行所	株式会社　駿河台出版社
発行者	井　田　洋　二

〒101-0062　東京都千代田区神田駿河台3丁目7番地
電話　03(3291)1676(代)番
振替　00190-3-56669番　FAX03(3291)1675番
E-mail : edit@e-surugadai.com
URL : http://www.e-surugadai.com

製版　㈱フォレスト

ISBN978-4-411-04100-5　C1082　¥1800E